서쪽으로 가는 유혈선

서쪽으로 가는 유혈선

발　행 | 2024년 9월 6일
저　자 | 야마모토 슈고로　**번역** | 서지음　**감수** | 성시야　**표지** | 최유남
펴낸이 | 한건희
펴낸곳 | 주식회사 부크크
출판사등록 | 2014.07.15.(제2014-16호)
주　소 | 서울특별시 금천구 가산디지털1로 119 SK트윈타워 A동 305호
전　화 | 1670-8316
이메일 | info@bookk.co.kr

ISBN | 979-11-419-5640-0

서쪽으로 가는 유혈선

야마모토 슈고로 지음
서지음 번역
성시야 감수

(일러두기)

♠ 괄호 안 글씨는 작가가 적어둔 것입니다.

♠ 인명과 지명은 외래어 표기법을 따랐습니다.

♠ 본문의 주는 옮긴이가 독자의 이해를 돕기 위해 붙였습니다.

목 차

제1화 망령 호텔

참극의 방

이토 도요지가 세수를 끝내고 옷을 갈아입을 때, 제복을 입은 소년이 모닝커피를 가져왔다.

"좋은 아침입니다."

"아, 좋은 아침."

"잘 주무셨습니까?"

이토는 넥타이를 매면서 소년이 커피를 따라주는 테이블에 앉았다. 소년의 인상은 그다지 좋지 않았다.

"잘 못 잤어. 대체 반대편 방에는 어떤 손님이 묵고 있는 거야? 밤새도록 이상하고, 묘한 소리가 나서 진짜 난처했어."

"반대편 방이라 말씀하신다면?"

"복도 반대편 말이야. 여기가 제일 끝방이니까 반대편이면 여기랑 복도 반대편 방 두 개뿐이지 않아?"

소년은 뭔가 짐작이 가는지 낯빛이 확 바뀌더니 시선을 피했다.

이토 도요지는 규슈 대학 공과연구실의 연구생인데 특정 연구를 보고하려고 먼저 상경한 은사, 시카야 히로키치 박사의 조교로 어젯밤 도쿄에 도착했다. 그런데 호텔에 와보니, 박사가 연구 업무로 센다이에 출장을 간 바람에 이토는 어젯밤 혼자 호텔에서 잤다.

이토가 잔 방은 호텔의 제일 끝방이었고, 복도 양쪽으로 방 두 개가 마주하고 있었다. 그 맞은편 방에서 어젯밤 내내 여자가 신음하듯 구슬픈 소리와 기다란 종이를 조용히 잡아 찢는 듯한 소리가 들리다 끊기고, 들리다 끊겨서 몹시 안절부절못하며 선잠을 자다 날이 밝았다.

"예상대로 들으셨군요."

소년은 목소리를 바로 낮추며 말했다.

"예상대로라니? 뭐가 있는 거야?"

"그 방에는 아무도 투숙하고 있지 않습니다. 꽤 오래전부터 손님을 받지 않기로 되어 있어서요. 이유를 말씀드리면, 실은 극비 사항인데 저 방은 '망령의 방'이라 부르며 저도, 동료도 무서워서 근처에 가지 않을 정도예요."

"후후후후 요즘에 망령이라니 촌스럽게."

"웃으시지만 손님도 어젯밤에 그 소리를 들으셨죠."

이토는 웃음을 뚝 멈췄다. 어젯밤에 들은 구슬프게 신음하던 여자 목소리가 생각났기 때문이었다. 소년은 좀 더 목소리를 낮추더니,

"그게 말이지요, 손님께만 말씀드리는데 2년 전 어느 겨울밤. 저 방에 묵었던 손님…… 노인 한 분과 그분의 젊고 아름다운 부인이었습니다. 그 손님들이 투숙한 날 밤, 노인이 젊은 부인을 단도로 찔러 죽이고 자신도 자살해버린 사건이 있었습니다. 자세한 사정은

모르지만…… 방은 피범벅이었고, 침대에서 기어 나온 부인이 문손잡이를 잡은 채 피투성이가 되어 머리는 헝클어진 상태로 죽어 있던 그 모습. 지금 생각해도 으윽…….”

소년은 몸을 부르르 떨었다.

“그날 이후로 저 방에 손님을 받으면 꼭 이상한 일이 일어나서 지금은 손님을 받지 않습니다. 그렇지만 아무튼…… 이 이야기는 절대로 새어나가지 않게, 어쨌든 이런 이야기가 퍼지면 매출에 지장이 있으니까요.”

“그 점은 안심해도 돼. 나는 절대로 아무한테도 말하지 않을 테니까.”

“고맙습니다. 혹시 원하신다면 바로 방을 바꿔드릴까요?”

“아니, 여기도 괜찮아.”

“그래도 만약 손님한테 안 좋은 일이라도 생기면.”

“뭐 별일 있겠어.”

소년은 가볍게 인사하더니 밖으로 나갔다.

찜찜한 이야기였다. 어젯밤 분명히 들은 여자가 앓던 소리와 그 기다란 종이를 조용조용히 찢는 듯한 소리가 귀에 생생하게 되살아났다. 문손잡이를 잡은 채 피투성이가 되어 죽었다는 젊은 부인의 모습도 어쩐지 눈에 어른거리는 듯한 기분이 들었다.

“에이! 찜찜한 이야기를 들었네.”

혀를 끌끌 차면서 커피를 단숨에 꿀꺽 마시고 담배에 불을 붙이려고 했을 때, 테이블 위의 전화기가 찌르릉찌르릉 울렸다. 수화기를 들자 쾌활한 소녀가 갑자기 소리치듯이 말했다.

“어머, 오빠네?”

우시고메에 엄마와 둘이 사는 여동생 미도리였다. 이토와는 7살

차이가 나는 올해 18세인 왈가닥 미도리를 이토는 이름 끝의 두 자만 따서 '도-리'라고 불렀다.

"아니, 도-리 아냐."

"너무해. 도쿄에 있으면서 왜 집에 연락 안 했어?"

"너는 내가 온 걸 어떻게 알았어?"

"친구가 어제 호텔 로비에서 오빠를 봤다고, 분명 오빠 같다고 알려줬거든. 왜 집에 안 오는 거야?"

위기의 미도리

"그래, 맞다니까."

미도리는 전화를 끊고 엄마를 돌아보았다.

"그런데, 왜 연락 안 했대?"

"뭐라더라 비밀을 지켜야 하는 연구 보고 때문에 시카야 박사님이랑 같이 상경했대. 그래서 그게 끝날 때까지는 집에 못 온대."

"그러면 네가 후쿠오카로 보내려고 챙겨둔 속옷이랑 셔츠를 갖다 주려무나."

"그럴게. 어차피 하굣길에 아자부에 있는 무라카미한테 가기로 약속했으니까 갔다 올게. 빨래도 있으면 받아 올게."

미도리는 일 년 만에 오빠를 볼 수 있다고 생각하자 벌써 마음이 들뜨기 시작했다.

오후 4시에 하교 후, 옆 동네에 있는 친구 집에 갔다가 친구가 오래 붙잡는 바람에 롯폰기 근처에 있는 '야마노테 호텔'에 도착했을 때는 오후 7시가 지나서였다. 프런트에 방 번호를 묻자, 어린 소년이 3층 6호실이라고 알려주었다.

"안내해 드리겠습니다."

소년이 안내하겠다는 걸 거절하고(깜짝 놀라게 해줘야지 싶었다) 계단을 성큼성큼 올라가 오른쪽으로 방향을 틀었다. 제일 끝 오른쪽 문에 6호라고 적힌 걸 보고, 손잡이를 슬쩍 돌려보았다. 문은 잠겨 있지 않았다.

미도리는 '있겠지.'라며 고개를 움츠리면서 문을 살그머니 열고 발소리를 죽이며 들어갔다. 그곳에는 커튼 하나로 침실과 거실이 나눠져 있었고, 거실에는 업무 테이블과 의자 몇 개가 놓여 있었다. 업무 테이블 옆에 서서 미도리 쪽으로 등을 보인 남자가 뭔가를 하는 중이었다.

'오빠네.' 의심할 것도 없이 그렇게 믿은 미도리는 불쑥 뒤로 달려가 소리쳤다.

"오빠, 오늘 밤은……."

"아!"

뜻하지 않게 오빠로 불린 사람이 뒤돌아보았다. 놀랍게도 그 사람은 오빠가 아니었다. 낯선 사람이었다.

"어머, 죄송합니다. 저는……."

미도리가 깜짝 놀라 두세 걸음 물러나 사과하려고 하자, 남자가 섬뜩하게 이를 드러내면서 느닷없이 문 입구로 나는 새처럼 덤벼들었다. 그리고 스위치 소리가 나는가 싶더니, 방안의 전등이 '팍.' 하고 꺼졌고 주위가 깜깜해졌다. 모두 순식간에 일어난 일이었다.

"아, 아악!"

어둠 속에서 미도리의 비명이 들리고, 난폭하게 싸우는 소리가 들렸다. 그러나 그 소동은 금세 멈추었고, 곧 방구석 어딘가에서 철커덩하고 쇠붙이를 맞추는 듯한 소리가 들리더니…… 그 뒤로 아주 조용해지며 두 사람의 모습이 사라져버렸다.

이토 도요지가 시카야 박사와 함께 돌아왔을 때는 그 후, 대략 1시간 정도 지난 뒤였다. 이토는 저녁 식사 전에 센다이에서 돌아가겠다는 박사의 전보를 받았기에 우에노역까지 마중 나갔다 돌아온 것이었다. 그래서 부재중에 그런 사건이 있었는지 알 턱이 없었다.

"자네는 몇 호실인가?"

"제일 끝방인 6호입니다."

"하하아, 그럼 어젯밤에 뭔가 있었겠네?!"

박사는 눈살을 찌푸리며 물었다.

"알고 계셨습니까, 박사님."

"응, 나도 처음에는 그 방에 묵었지. 아무래도 제일 조용할 줄 알았는데 말이야. 맞은편 방에서 망령이 나오는 바람에 왠지 무서워서 옮겼지 뭔가."

"박사님도 망령을 무서워하십니까?"

"자네 역시 무서울 테지, 어쨌든 거기에 관해 좀 짚이는 게 있네. 아무튼…… 나중에 내 방으로 와주게."

두 사람은 2층 계단에서 헤어졌다.

이토 도요지는 3층으로 올라가서 열쇠로(어느 사이엔가 굳게 잠겨 있었다) 문을 열고 안으로 들어가 전등을 켰다. 그리고 방안을 덥히려고 히터를 켰을 때, 탁자 위의 전화가 깜짝 놀랄 만큼 요란하게 울리기 시작했다. 수화기를 들어보니 우시고메의 엄마였다.

"아아, 엄마예요?"

"도요지니, 도쿄에 와 있다며. 일이 끝나거든 우시고메에도 들르렴."

"네, 일주일 정도 뒤에 갈게요."

"기다리마. 그리고 미도리는 아직 거기 있니? 늦게까지 안 와서 어찌 된 건가 싶네."

"도-리가 왔어요?"

"안 갔니?"

"네, 이제 막 방에 들어왔는데, 프런트에 물어볼게요."

이토는 그렇게 대답하고 호출벨을 눌렀다.

심야 탐험

"흐음."

박사는 눈썹을 잔뜩 찡그렸다.

"어머니 말로는 새 셔츠랑 속옷을 챙겨서 보냈다고 하세요. 옆 동네 친구인 무라카미에게 물어봤더니 6시쯤 나갔다고 했으니까 이미 도착했을 시간일 텐데요."

"프런트에서는 뭐라고 하던가?"

"그때 마침 다들 식사 중이라 프런트에는 어린 소년만 있었다고 하는데 소년이 이미 퇴근한 뒤라서 모른다고 하더군요. 그런데 미도리가 왔다면 갈아입을 옷이 든 가방을 맡기고 갔을 텐데……."

박사는 말없이 무언가를 생각하고 있었다. 새치가 듬성듬성한 눈썹을 한껏 찡그렸고, 이마에는 깊은 주름이 파였다. 박사는 거의 10분이나 뭔가 생각하더니 갑자기 미간을 펴고 중얼거렸다.

"음, 음, 그렇겠군."

"박사님, 저 잠깐 집에 다녀오고 싶은데요. 아무래도 여동생이 걱정돼서."

"조금만 기다려주게."

박사는 의자에서 일어나 서쪽 창문의 블라인드를 드르륵 올렸다. 밖은 초겨울의 찬 바람이 불었고, 높은 지대의 거리는 이미 대부분 불이 꺼져 있었다. 그런데 호텔과 계곡을 사이에 두고 자리한 제 X 연대의 현대식 군대 건물만은 중일전쟁을 대비해 야간훈련이라도 하는지, 아직 등불이 환하게 빛나고 있었다. 박사는 잠시 바깥의 차가운 공기를 마신 뒤 다시 블라인드를 내리고 돌아왔다.

"이토, 자네는 이번 내 연구가 군사 기밀에 관한 것이라는 사실을 모르지."

"몰랐습니다. 다만 엄중한 기밀 연구라고만 들었기에 여기 와서도 아무에게도 알리지 않았습니다. 그런데 엊저녁, 이 호텔에 도착했을 때 여동생의 친구가 로비에서 저를 보았고, 그래서 여동생이."

"아니, 아니. 나는 자넬 책망하려는 게 아니야. 오히려 여동생의 행방불명이 나에게는 큰 도움이 되어줘서 감사하고 싶을 정도야."

"그렇게 말씀하시면."

"여동생은 반드시 무사히 돌아올 걸세."

이토는 박사의 말에 놀랐다.

"그게 정말입니까? 박사님."

"과학자는 근거 없는 이야기를 하지 않잖아. 그러니까 안심하고 내가 하는 걸 보고 있게."

박사는 그렇게 말하고 시계를 보았다.

"아직 9시 전이로군. 좋아. 자네는 집에 전화를 걸어서 여동생이 여기서 묵기로 했다고 말씀드려. 어머니께 걱정을 끼쳐드려선 안 되니까, 그러고 나면 안심하고 자도 좋아."

"그러면 여동생은……?"

"내가 알아서 한다고 했잖아. 그것보다 자네는 망령에 홀리지 않도록 주의하게. 그럼 잘 자도록."

무슨 사정이 있는 듯한 박사의 모습을 보고, 이토는 일단 들은 대로 자기 방으로 돌아갔다. 어머니에게 거짓 전화를 해두고, 잠자리에 들었지만 잠이 잘 올 리가 없었다. 여동생은 대체 어떻게 됐을까, 어떤 사고를 당했을까, 그게 제일 걱정이 되었고, 또 어젯밤에 들었던 맞은편 방의 망령 목소리도 이상하게 머리에 맴돌았다.

'왜인지 찜찜한 일만 이어지네.'

생각이 꼬리에 꼬리를 물고 이어지다 아침부터 쌓인 피로에 어느새 꾸벅꾸벅 잠들기 시작했다.

얼마나 잤을까, 문득 귓전에서 속삭이는 목소리에 눈을 번쩍 떴다.

"일어나봐, 이토……."

시카야 박사가 어둠 속에 서서 말했다.

"소리 내지 말고 일어나. 준비되면 이걸 들고……."

"아, 권총이네요."

"쉿, 조용히 하고 오게."

무얼 시작하려는 걸까. 서둘러 준비한 이토 도요지는 건네받은 권총을 들고 박사를 뒤따라 살그머니 방을 나왔다. 그러자 놀랍게도 박사는 망령의 방으로 들어갔다.

"박사님, 어쩌시려고요?"

"망령을 퇴치해야지."

박사는 어둠 속에서 의미심장하게 비웃는 듯했다.

맞은편 방에선 매캐한 먼지내가 났다. 전등은 당연히 꺼져 있었는데 양쪽 창문의 블라인드가 올라가 있어서 유리창으로 총총한 별빛이 들어와 방 안은 어슴푸레하지만 잘 보였다.

"이쪽으로 와봐, 조용히……."

박사는 이토를 북쪽 구석으로 잡아당기더니 거기에 있는 테이블 그늘로 몸을 숨겼다.

"잠자코 기다려, 소리를 내면 안 돼. 망령은 인기척을 싫어하니까. 되도록 편하게 있되, 내가 신호할 때까지는 어떤 일이 있어도 움직이지 않도록."

박사는 귀에 입을 가까이 대고 속삭였다.

이 한밤중에 살인이 일어난 방에서 망령이 나타나기를 기다린다. 다른 사람이 보면 마치 중세시대의 기이한 이야기를 다룬 소설이라 할 테다. 그런데 지금 이토 도요지는 실로 절박했고, 정말 현실적인 기분이 들었다. 솔직히 말해, 이토는 어둠 속에서 숨을 죽였던 그날 밤의 몇 시간을 떠올리면 아직도 엄습해오는 불쾌한 공포를 느낄 정도였다. 밤은 이슥해져 갔다. 그리고 머지않아 아래층 로비의 시계가 새벽 2시를 알렸다.

난로의 화격자[*]

2시를 알린 시계 소리의 여운이, 모두 잠들어 조용한 호텔 복도를 울리며 사라져갔다. 그 순간이었다. 조용한 어둠 속에서 어디랄 것도 없이 우는 여자의 신음이 들렸다.

"아아아아아, 우우우우우."

그 소리는 구슬프고, 듣는 사람을 소름 끼치게 만드는 죽어가는 자의 숨이 넘어갈 듯한 신음이었다.

---

[*]화격자(火格子): 아궁이, 난로, 보일러 따위에서 타는 불을 떠받치는, 쇠로 만든 물건. 재가 떨어지고 공기가 불로 통하게 되어 있다.

"박사님."

"조용, 조용해!"

박사는 엄하게 막았다. 이토는 겨드랑 아래로 식은땀이 흐르는 걸 느끼며 권총을 꽉 쥐었다. 여자의 앓는 소리는 잦아들다 곧 다시 높아지길 반복했다. 그러다…… 곧 동쪽 벽 근처에서 짤깍하고 낮은 소리가 나자마자, 2미터 남짓한 높이의 벽 위로 번쩍! 하고 조금 희미한 불꽃 같은 것이 번뜩였다. 그리고 바로 '치이이이이, 치이이이이.' 하고, 마치 기다란 종이를 가만히 찢는 듯한 낮은 소리가 나기 시작했다.

모든 게 어젯밤 그대로였다. 곧 죽을 듯한 여자의 구슬픈 흐느낌, 종이를 찢는 듯한 기묘한 소리, 이토는 몸 전체에 물을 끼얹은 것처럼 오싹해져서 숨을 죽였다.

"그건가."

박사가 불쑥 속삭였다.

"그래, 그거란 말이지. 역시 거기까지는 이 시카야도 알아차리지 못했는걸, 후후후후."

"어떻게 된 겁니까? 박사님."

"쉿…… 누가 온다."

박사가 서둘러 막았다. 그러자 언제 어디에서 나타났는지 오른편에서 하얀 가즈키*를 머리부터 덮어쓴 망령 같은 것이 홀연히 환영처럼 나타났다. 이토는 무서운 나머지 이성을 잃고 권총 방아쇠에 손가락을 걸었다. 그러자 박사가 이토의 손목을 세게 꽉 잡고 '움직이지 마!'라고 하듯 내리눌렀다. 어둠 속에서 기묘한 망령의

---

*被衣: 헤이안 시대 이후 신분이 높은 여성이 외출할 때 얼굴을 가리기 위해 뒤집어쓴 홑옷

- 15 -

모습이 나타난 후, 어림잡아 20분 정도 지났다 싶었을 때쯤……
종이를 찢는 것 같은 소리가 딱 멈췄다. 그러나 아직 이상한 여자
의 신음은 단말마의 고통을 호소하듯 이어졌다.

망령은 어둠 속을 미끄러지듯 동쪽 벽으로 흔들거리며 갔다. 거기
서 무얼 하는지 찰카닥하는 소리가 났고, 잠시 뒤 이번에는 다시
미끄러지듯이 오른쪽으로 사라져갔다. 박사는 테이블 그림자에서
몸을 반쯤 내밀고 바라보았는데…… 망령의 모습은 난로 근처에서
돌연 감쪽같이 사라져버렸다.

"기다려, 아직 일러."

나가려는 이토를 막으면서 그대로 약 30분 정도 숨죽이던 박사는
더 이상 아무도 오지 않는 걸 확인하더니 조용히 테이블 그늘에서
나와 속삭였다.

"자, 드디어 호랑이 굴을 찾았어. 이번에는 어쩌면 권총을 써야
할 수도 있어. 그렇지만 쏘게 되더라도 발을 노리게. 절대 발 이외
에 다른 곳을 맞춰선 안 돼. 따라와."

박사는 난로 앞으로 나아갔다. 망령이 사라진 곳은 거기였다. 박
사는 진득하게 웅크리고 앉아 20분이나 난로 주위를 돌아가며 만
져보았다. 이윽고 손가락 끝이 벽난로 선반 모서리를 스친 순간,
화격자가 소리도 없이 미끄러지더니 한 사람이 통과할 수 있을 만
한 구멍이 뻥 뚫렸다.

"아! 이런 곳에 통로가!"

"그렇군, 이런 통로를 썼다니, 망령은 불편하기 짝이 없었겠는데.
그런데 이 건물은 몇 년 전부터 히터를 사용했으니까 이 난로는
아예 안 썼을 테니 비밀 통로로는 안성맞춤이었겠군. 자, 들어가자
고."

"괜찮을까요?"

"호랑이 굴에 들어가야 호랑이 새끼를 잡지."

박사가 먼저 몸을 구부리고 통로로 들어갔다. 입구는 좁았으나 들어간 곳 입구에 사다리가 걸려 있어 쉽게 내려갈 수 있었다. 두 사람은 권총을 쥐고 조용히 한 단씩 발소리를 죽이면서 내려갔다. 사다리 끝에 문이 있었다. 박사는 문에 귀를 대고 한동안 상황을 살핀 후, 살그머니 밀고 안으로 들어갔다. 그 순간,

"아, 도-리."

이토가 낮게 외치면서 박사를 밀어제치고 안으로 뛰어들었다. 정말로 미도리, 여동생 미도리가 좁은 창고 안 의자에 결박된 데다 재갈까지 물린 채 있었다.

"기다려!"

왜인지 박사는 뛰어가려는 이토를 급히 말렸다.

"아직 손을 대서는 안 돼."

"한데 박사님 이렇게 묶여 있는데……."

"괜찮을 테니 기다리게. 여동생한테는 정말 미안하지만 이제 이 고통을 몇 시간 참고 견뎌줘야 하네. 이 사건은 간단한 문제가 아니야. 국가의 중대한 기밀과 관련되어 있기 때문이지. 이렇게 말하면 분명 미도리도 잠깐의 고통은 참아줄 것이네."

이 말을 들은 미도리는 의자에 결박된 채 씩씩하게 눈을 반짝이며 힘차게 고개를 끄덕여보였다.

"미도리가 이해해줬어. 자 이제부터 한 단계만 더 하면 돼."

박사는 그렇게 말하더니 아직 주저하는 이토를 재촉하여 원래 방으로 돌아갔다.

보이지 않는 스파이

그 후에 박사와 이토가 어떤 활약을 했는지는 모른다. 다음 날 아침 10시, 로비에서 차가 나오는 시간에 박사와 이토 도요지 두 사람은 옷을 싹 갈아입고, 한쪽 구석 테이블에서 따뜻한 커피를 홀짝이고 있었다.

그날은 손님이 아주 많았고, 조식만 먹으러 온 것 같은 신사와 투숙객을 만나러 온 듯한 사람들이 제각각 커피를 홀짝이거나, 토스트와 햄에그를 집적거리며 먹고 있었다. 10시 15분이 지났을 때였다. 호텔 앞으로 고급 승용차 한 대가 도착했고, 유럽인 세 명이 로비로 들어왔다. 이들 셋은 매일 아침 호텔에 조식만 먹으러 오기에 늘 제일 구석 테이블로 자리를 정해줄 만큼 단골손님이었다.

로비로 들어온 유럽인들은 사투리가 섞인 프랑스어로 수다스럽게 이야기하며 자신들의 테이블에 앉아 담배를 꺼내 들었다. 매일 하는 일이어서 주문을 알고 있는지 곧 소년(이토에게 망령 이야기를 했던 소년)이 은쟁반 위에 커피와 토스트, 샐러드를 올려 들고 왔다.

"좋은 아침입니다."

"어, 좋은 아침, 날씨가 좋네."

"그렇네요, 오늘은 특별히 베이컨 에그를 준비했으니 어떤지 맛보세요."

소년이 테이블 위에 은쟁반을 놓았을 때였다. 갑자기 뒤에서 사투리가 없는 유창한 프랑스어로 말을 건 사람이 있었다.

"실례합니다만, 그 베이컨 에그는 제가 먹어보고 싶은데요."

유럽인들이 깜짝 놀라 뒤돌아보자 그곳에는 시카야 박사가 히죽 히죽 웃으며 서 있었다. 아니, 박사뿐만이 아니었다. 놀랍게도 이제까지 손님처럼 보였던 로비의 사람들, 어림잡아 17여 명의 신사가 주위를 빙 둘러싸고 있었다. 게다가 제각기 권총을 들고서. 박사는 싸늘하게 말을 이어갔다.

"XXX 국의 특무기관 놈들아, 이제 발버둥 쳐봐야 소용없어. 이대로 그물 입구는 조여졌으니까. 망령 계략은 들켰거든."

"아! 젠장."

"손들어! 움직이면 사살하겠다!!"

큰소리로 외치면서 앞으로 나온 사람은 노신사로 위장했던 경시청의 다카노 형사과장이었다. 유럽인 셋은 순식간에 종이 마냥 혈색을 잃고 양손을 들어 올리며 의자에서 일어났다.

그 사이에 서빙하던 소년은 그림자처럼 몸을 뒤로 빼더니 쏜살같이 지하실로 도망쳤다. 그 모습을 본 박사가 외쳤다.

"이토, 미도리를 감금한 건 저놈이야, 놓치지 마!"

이토는 박사가 말을 끝내기도 전에 "제길." 하며 탄환같이 달려서 곧장 돌계단 중간까지 내려가 소년의 등 뒤로 매우 잽싸게 뛰어내렸다. 과감한 기습이었다. 공중제비를 돈 두 사람은 한 덩어리가 된 채 지하실로 굴러떨어졌다.

"투자이즈!"*

소년은 맹수처럼 소리치더니 오른손에 단도를 쥐고 갑자기 벌떡일어났다. 그 찰나, 이토가 밑에서 재빠르게 발로 찬 뒤, 날렵하게 소년을 밀고 나아가 온 힘을 다해 오른손 주먹으로 소년의 턱을 올려쳤다.

"아!" 하고 비틀거릴 때 또 공격.

---

*兎崽子: 중국어로 '개자식'이란 의미

"이 돼지 같은 놈." 하며 콧대를 꺾을 생각으로 세게 내리쳤다. 여동생을 괴롭힌 원수라 여긴 분노의 주먹이었다. 소년은 코에서 피를 내뿜으며 뒤로 나자빠졌다.

"멋져, 훌륭하구먼. 이제 용서해주게."

박사가 계단 입구에서 유쾌하다는 듯이 소리쳤다.

"더 때리면 죽겠어. 뒷일은 경시청 분들에게 맡기면 돼. 그것보다 빨리 미도리를 구해야지."

이토는 쓰러진 소년(실제로 중국인이었다)의 옆구리를 한 번 세게 걷어차고 창고로 달리기 시작했다.

그리고 1시간 후.

이토 남매는 박사 방에서 따뜻한 커피를 홀짝이면서 사건의 수수께끼를 풀어나간 박사의 이야기를 듣고 있었다.

"그들은 XXX 국의 스파이였어. 그 소년은 중국인이었고, 물론 그들의 앞잡이였지. 망령 이야기는 그 방에 사람이 오지 못하게 막으려고 한 건데, 그 이유는 거기를 비밀 연락처로 쓰고 있었기 때문이야. 어떤 방법으로 연락을 했냐면…… 종이를 찢는 것 같던 소리는 연락을 취한 기계에서 난 소리였네. 다른 스파이가 제 X 연대 옆에 잠입해서 연대의 이동상태를 살피고, 그걸 광통신으로 그 방에 보냈던 거야."

"그런데 박사님, 야간에 광선으로 통신하면 바로 발각되지 않습니까? 어젯밤에 우리가 지켜봤을 때는 어떤 빛도 보이지 않았잖아요."

"그러니까, 보이지 않는 광선을 쓴 거야."

박사는 미소지으며 이어 말했다.

"즉 적외선이지. 병영 부근에서 특수 기계를 이용해 이 방으로 적외선을 방출했어. 자네도 알다시피 적외선은 사람 눈에는 보이지 않잖아. 그러나 같은 감지장치는 감지할 수 있으니까 광선을 받으면 자동으로 움직이기 시작해서 눈에 보이지 않는 통신을 전부 기록한 거지. 어젯밤 벽에서 짤깍하는 소리가 나고 자그마한 불빛이 번쩍였지 않은가. 그때 기록장치가 작동하기 시작한 걸세. 그 후에 나타난 하얀 망령…… 그건 중국인 소년이 분장한 것으로 소년이 그 기록을 빼내 아침이 되면 유럽인 세 명에게 서빙하며 몰래 손에서 손으로 전해줬던 거야…… 실제로 적이긴 해도 적외선을 훌륭하게 사용한 건 스파이전이 시작된 이후 이 사건이 최초일 거야."

"그런데 박사님은 어떻게 이걸 스파이 사건이라고 눈치채셨습니까?"

"처음에는 눈치채지 못했다네. 그저 그 소년이 자랑하듯이 망령 이야기를 하길래 수상하다 여겼지. 왜 그럴까 하고. 손님을 상대하는 이가 묻지도 않았는데 손님이 싫어할 망령 이야기 같은 걸 할 리가 없으니까. 이건 뭔가 있다! 하고 주시했어. 그다음에 미도리가 행방불명되었다고 들어서 분명, 이 호텔에 뭔가 있겠다 싶었네. 그리고 별생각 없이 바깥 공기를 쐬려고 창문을 열었을 때 반대편에 제 X 연대의 군대 건물이 있는 걸 봤지. 그래, 일종의 영감이려나, 본능적으로 '이건 스파이 사건이 틀림없다!'라고 생각했지. ……그러자 매일 아침 그 유럽인 셋이 로비의 정해진 자리에 조식을 먹으러 오는 점, 그 자리의 서빙은 그 소년만 하는 점이 바로 떠올랐어. 그렇다면 그다음은 간단하지. 미도리를 결박한 채로 두면 그 녀석은 아직 자신의 죄가 드러난 걸 모르고, 당당하게 로비에서 연락을 취할 게 분명하다, 그 짐작이 적중했네. 부탁해뒀던 경시청 형사들도 꽤 멋지게 연극을 해줬고."

그리고 박사는 다음과 같이 말을 맺었다.

"결국에는 놈들이 좀 지나쳤어. 불필요할 때 망령 이야기를 퍼뜨렸고, 또 내 연구 비밀을 훔치려 했고, 하필이면 그때 마주친 미도리를 감금했지. 이 세 가지가 스스로 사건을 드러낸 실마리를 만든 셈이니까 말이야. 아, 사자성어에도 있지 않은가. 그거, 과유불급이라고 말일세. 아하하하하."

제2화 극단 '웃는 요괴'

수상한 전화

"고로 씨, 전화 왔습니다."

하인 나카노가 문을 열고 말했다.

"많이 급한 것 같았어요, 어서요."

"누군데?"

"이름은 말하지 않았어요."

아빠 이야기를 한창 재미있게 듣던 고로는 이야기가 끊어지는 게 아쉽다는 듯 가볍게 입맛을 다시며 복도로 나왔다. 전화기는 계단 옆에 있었다.

"나, 고론데. 누구야?"

수화기를 귀에 대고 말하자마자 상대는 기다리기 힘들었다는 듯이 수상하게 잠긴 목소리로 속삭이며 말했다.

"고로지? 일동 극장 지하 식당으로 오후 5시까지 와. 중요한 이야기가 있어."

"너 누구야? 하시모토?"

"오후 5시야. 잊지 마."

"여보세요, 누구냐니까, 무슨 일인데······."

고로의 말이 끝나기도 전에 상대는 '딸깍.' 하고 전화를 끊어버렸다. 고로는 화난 듯이 수화기를 내려놓으며 중얼거렸다.

"목소리를 이상하게 꾸며냈지만 분명 하시모토 녀석이야. 또 시시한 장난을 치고 놀리려는 거겠지. 그 수법에 속을 줄 알고."

고로는 아빠 방으로 돌아갔다.

"누구한테 온 전화냐?"

"장난 전화 같아요. 하시모토 녀석이 장난친 거겠죠. 아까 하시던 이야기 계속해주세요."

"좀 피곤한데, 다음에 또 해주마. 오늘은 여기까지."

아빠는 하품을 크게 했다.

고로의 아버지, 우미베 이치조는 몇 년 전까지 경시청의 형사과장으로 근무했으나, 장남 이치로가 조직폭력배에 들어가 신문에 실리게 되었다. 그 일 때문에 애석해하면서도 단호히 사직한 후, 철저하게 은둔 생활을 하고 있었다. 그러나 경찰 관련 일에 아직도 관심을 보이며 어려운 사건이 있으면 혼자서 이리저리 연구해 보는 게 유일한 낙이었다. 좀 전까지 고로에게 했던 이야기도 최근 빈번하게 일어난 수상한 살인사건으로, 독특한 관찰력으로 거침없이 뜯어보며 살펴보던 중이었다.

수상한 살인사건이란?

첫 번째 사건은 나가사키 요항부*의 경비가 수상하게 죽은 사건, 두 번째는 오하타 제철소의 젊은 기술자가 영문도 모른 채 죽은

---

*要港部: 해군의 근거지로 함대의 후방을 총괄했던 일본의 해군 기관

사건, 세 번째는 세토나이카이* 유람선 '무라사키마루'호의 의사가 이상하게 죽은 사건, 네 번째는 오사카 항만국 순찰선의 승조원 네 명이 기이하게 죽은 사건, 다섯 번째는 후쿠이현 쓰루가, 여섯 번째는 시즈오카현 누마즈, 일곱 번째는 요코하마. 이처럼 수상한 살인사건 7건 전부, 범인이 드러나지 않은 채 처음 사건이 발생한 나가사키에서 점점 도쿄와의 거리를 좁히며 발생했다.

"다음에는 도쿄에서 사건이 일어날 거야."

이치조는 그렇게 예견했다.

고로는 부립 중학교 4학년으로 불량한 형 때문에 전도유망한 관직에서 물러난 아빠를 대신해 자기야말로 크게 출세해서 가문의 명예를 회복하려 노력하고 있었다. 성적도 우수했고, 마음씨도 좋아 친구들에게 인기가 많았다. 그런 만큼 또 다른 친구들은 시기하기도 했다.

"저 녀석은 얄밉게 잘난 체한단 말이야."

그중에서도 하시모토 사다요시라는 난폭한 녀석은 가끔 이상한 장난을 쳤다.

그다음 날, 고로는 학교에서 하시모토를 만났다. 장난 전화를 건 사람이 하시모토라면 반드시 얼굴에 드러날 터였다. 하지만 하시모토의 모습은 조금도 어색한 점이 없었고, 물어봐도 전화 같은 건 걸지 않았다고 했다.

'수상하네, 그럼 정말 누가 용건이 있었던 걸까. 그런데 그랬다 쳐도 이름을 밝히지 않은 건 이상하잖아.'

고로는 문득 무언가 마음에 걸렸다.

---

*瀬戸内海: 일본에서 가장 큰 육지로 둘러싸인 바다

그런데 그날 오후였다.

게이세츠 여자중학교 3학년인 고로의 여동생 유키코가 학교에서 집에 돌아오자마자 하인 나카노가 방으로 뛰쳐 들어왔다.

"아가씨, 전화 왔어요."

"고마워, 누군데……?"

"이름을 말 안 해요, 남자인데요."

"남자? 이상하네."

유키코는 일단 아래층으로 내려가 수화기를 손에 들고 말했다.

"여보세요, 제가 유키코인데요."

상대가 뭐라고 했을까? 유키코의 안색이 확 변했다. 수화기를 잡은 손이 눈에 보일 정도로 떨고 있었다.

"네, 네. 아, 아. ……알겠습니다."

유키코는 어쩔 줄 몰라 하며 대답하다가 "곧 갈게요." 하더니 수화기를 내려놓고, 아빠가 계신 방을 신경 쓰면서 살그머니 2층으로 돌아갔다.

유키코의 행방

교복을 벗고 산책하는 차림으로 옷을 갈아입은 유키코는 "노가와 집에 잠깐 갔다 올게."라는 말을 남기고 집을 나섰다.

노가와 마리코의 집은 고우지마치 5초메에 있었다. 후시미초에 있는 유키코의 집에서는 3백 미터 정도 거리니까 걸어가나 싶었는데 길모퉁이에 있는 단골 요시다 택시를 타더니 명령했다.

"일동 극장 대기실 입구로 가줘."

유키코는 차에 타서도 안절부절못하며 불안한 모습으로 몇 번이나 손목시계를 쳐다보고 혼잣말을 중얼거렸다. 유키코는 알아채지 못한 것 같았지만, 이마에는 땀까지 촉촉이 맺혔다. 뭔가 이상한 일이 일어나고 있었다. 그런데 왜, 아빠한테도 하인에게도 말하지 않는 걸까?

택시는 일동 극장 대기실 입구에 도착했다.

"고마워, 집에는 비밀이야."

유키코는 기사에게 입단속을 시키며 요금을 낸 뒤, 그대로 좁은 대기실 입구로 들어갔다.

아직 오후 3시 무렵이었지만 복도는 음침하게 어두컴컴했고, 불빛이 약한 전등이 희미하게 켜져 있었다. 아직 공연 전이어서 대기실 담당자도 없었다. 유키코는 잠시 머뭇거리다 마음먹었다는 듯이 복도 안쪽으로 걸어 들어갔다. 그러자 오른쪽에 늘어선 분장실 한 곳에서 갑자기 문이 열리더니 남자가 나타났다.

"앗!"

기습을 당한 유키코가 멈춰서기도 전에 그 남자는 잽싸게 달려들더니, 갖고 있던 검은 천을 느닷없이 유키코의 머리에 씌우고, 꼼짝 못 하도록 무시무시한 힘으로 껴안았다.

"아악, 살려줘어-."

남자는 목이 터져라 외치는 유키코를 거뜬하게 둘러업은 채로 나왔던 방으로 들어가 문을 닫아버렸다.

극장 안은 고요했고 어떤 소리도 들리지 않았다. 유키코가 이런 함정에 빠졌다는 사실은 아무도 몰랐다. 유키코를 불러낸 전화를 건 사람은 누구였을까? 이 수상한 사람은 뭣 때문에 유키코를 유괴한 걸까? ……현재 이 일동 극장에는 <웃는 요괴>라는 외국인 극단이 가극과 마술을 섞은 공연을 하는 중이었다. 그 일과 유괴,

어떤 접점이 있는 건 아닐까?!

　한편 후지미초의 집에서는,
　저녁식사 시간이 되어서도 유키코가 돌아오지 않자, 노가와 집에 갔으니까 저녁을 먹고 오는구나 싶어 아빠와 고로는 먼저 식사를 마쳤다. ……그뒤 방으로 돌아가 9시까지 어제 했던 수상한 살인 사건 이야기를 하고 있는데도 유키코는 돌아오지 않았다.
　"좀 많이 늦는구나. 수다 떠느라 시간이 지난 것도 모르는 건가."
　"제가 전화해볼게요."
　고로는 일어섰다. 대략 10분 정도 지나 돌아왔을 때 고로의 표정은 감추기 힘든 불안으로 흔들리고 있었다.
　"아빠, 노가와 집에 없대요."
　"없다니?"
　"노가와 집에는 일주일 전에 왔다고 해요. 노가와도 오늘 학교에서 헤어진 뒤에 만난 적이 없다 하고."
　이치조는 눈살을 찌푸렸다.
　"그래서 나카노에게 물었더니 나가기 전에 어떤 남자의 전화를 받았다고 해요."
　"남자의 전화를 받았다고?"
　의자 팔걸이를 잡고 있던 이치조의 손이 감전된 것처럼 떨렸다. ……장남 이치로 일로 뼈아픈 경험을 했다. 남자한테 걸려온 전화, 그리고 노가와 집에 갔다는 거짓말. 혹시, 이치로처럼 조직폭력배의 꼬임에 넘어간 건 아닐까. 제일 먼저 그것부터 생각났다.
　"어떡하죠."
　"일단, 좀 더 기다려보자."

그리고 기다렸다.

시계가 10시를 알렸고, 11시를 알렸다. 유키코는 돌아오지 않았다. 고로는 몇 번이나 경찰에 연락하자고 말하려 했다. 그러나 예전 형의 일로 불명예스러운 세간의 평을 받았던 아빠가 다시 경찰의 도움을 구하는 일이 얼마나 고통스러울지 생각하자, 도저히 말할 용기가 나지 않았다.

"이제 자거라."

시계가 열두 번 울렸을 때, 이치조는 분노와 불안을 감추며 말했다.

"그래도, 뭐라도 하지 않으면……."

"걱정할 필요 없다. 유키코도 16살이니 사리 분별 정도는 할 나이야. 곧 재잘대며 들어오겠지. 이유도 모르는데 소란 피울 것 없다. 자거라."

이치조는 침실로 들어가버렸다.

설령 경찰의 힘을 빌리지 않더라도 이렇게 이슥한 밤에는 어떻게 찾을 방법도 없었다. 고로도 할 수 없이 침실로 들어갔으나 여동생은 지금쯤 어떻게 된 걸까 생각하자, 터무니없는 공상이 꼬리에 꼬리를 물고 떠올라 밤새도록 안절부절못하며 밤을 꼬박 새웠다.

다음 날 아침, 아직 어스름할 즈음 전화벨이 요란하게 울리기 시작했다.

단단한 종이 뭉치

'이 시간에 전화라니, 분명 유키코일 거야.'

이런 생각으로 고로는 계단을 뛰어 내려가 두근거리는 마음으로 수화기를 들었다.

"여보세요, 우미베입니다."

전화를 받자 상대는 상당히 빠르게 지껄였다.

"오늘 오후 5시, 일동 극장 지하 식당에서 기다릴게. 중요한 사건이야. 꼭 기다리고 있을게."

"아."

지난번 들었던 남자 목소리. 하시모토의 장난 전화라고 생각했던 목소리였다. 게다가 말하는 내용도 그제와 완전히 똑같았다.

"여보세요, 누구세요? 용건이."

"안 오면 큰일 나. 기다릴게."

상대는 그 말을 끝으로 전화를 끊었다.

유키코를 전화로 불러낸 사람도 남자였다고 했다. 그럼 고로가 두 번 들었던 목소리의 남자와 유키코를 전화로 불러낸 남자가 같은 사람이지 않을까. 그제 전화를 받고 고로가 가지 않아서 유키코를 인질로 불러낸 게 아닐까.

"그래."

고로는 낮게 중얼거렸다.

"그게 분명해. 유키코는 녀석의 손아귀에 있는 거야. 그리고 날 대신해 힘든 일을 당하고 있는 거야."

고로는 마음을 단단히 먹었다.

'좋아, 가보자. 상대가 어떤 녀석인지, 어떤 걸 요구할지 모르겠지

만, 내 이 손으로 유키코를 구해내겠어. 꼭 구해낼 거야!!'

고로는 그 길로 아빠 서재로 살그머니 들어가 큰 테이블의 서랍에서 권총을 꺼내 들고, 총알을 장전한 다음, 자기 방으로 돌아왔다. 아침을 먹을 때도 아빠에겐 아무것도 말하지 않았다. 그리고 평소처럼 학교로 갔다.

학교 수업이 끝나자 4시, 스키야 다리 주변에 우뚝 솟은 일동 극장까지 전철로 20분. 4시 30분에 이미 고로는 그 지하 식당 한쪽 구석에 앉아 있었다.

약속 시간이 점점 다가오자, 정말이지 가슴이 물결치듯 일렁거렸고 손님이 드나들 때마다 '혹시 저 사람 아닌가.' 하고 권총을 쥐었다. 커피 한 잔도 얼마 남지 않았다. 아직 아무도 오지 않았다. 무심코 벽을 봤더니 지금 공연하는 <웃는 요괴> 극단의 포스터가 걸려 있었다. ……한복판에 거대한 마녀가 송곳니를 드러내고 웃는 그림이 있고, 그 아래에는 순회공연 했던 지역이 열거되어 있었다. 고로는 별다른 생각 없이 그 지역명을 읽다가 돌연 눈을 번뜩였다.

'이런?'

호평을 얻은 공연지로 열거하고 있는 곳은 나가사키, 고쿠라, 벳푸, 오사카, 쓰루가, 시즈오카, 요코하마로 일곱 지역이었다.

'전부 수상한 살인사건이 일어난 지역만 있잖아?!'

그렇게 생각하자마자 포스터 속 요괴 그림이 마치 살인귀처럼 보였고, 고로는 자신도 모르게 무서워 몸을 떨었다. 우연의 일치일지도 몰랐다. 그러나 어쩌면 이 극단과 수상한 살인사건 사이에 어떤 연결고리가 있는 건 아닐까. 만약 그렇다면 유키코는 그 살인귀 손에 잡혀있다는 말이 아닌가.

'만약, 그렇다면.'

겨드랑이 아래로 식은땀이 배어 나왔다. 그리고 무심코 포스터에서 눈을 돌렸을 때, 테이블 위로 데굴데굴하고 종이 뭉치가 굴러떨어졌다. 누군가 던진 것 같았다.

'무례한 녀석이야!'

그렇게 생각하고 돌아보자, 외국인 너덧이 지금 막 밖으로 나가는 중이었다.

'잠깐만, 이 종이는 전화로 불러낸 녀석이 던진 것인지도 몰라.'

고로가 종이를 펼쳤더니 예상한 대로 종이에는 연필로 갈겨쓴 글씨로 뭔가 빼곡히 적혀 있었다. 고로는 부들부들 떨리는 가슴을 억누르며 읽었다. 거기에는 놀랄 만한 내용이 적혀 있었다.

'고로야, 난 네 형. 보잘것없는 이치로야. 나는 지금 극단 <웃는 요괴>의 단원으로 피에로를 연기하고 있어.'

"형, 형이……."

너무나 갑작스러운 내용이었다. 조직폭력배에 들어가 신문에 실렸을 때 가출한 이후로 지금까지 행방을 알 수 없었던 형, 그 형이 외국인 극단의 피에로가 되어 나타났다.

이렇게 되기까지의 과정을 적을 시간은 없어. 나는 이 극단의 중대한 비밀을 알았어. 그걸 네가 아빠한테 전해줬으면 해. 그래서 그제 전화를 걸었는데 오지 않았지. 어제는 유키코한테도 전화했는데 끝내 오지 않았어. 놈들은 내가 비밀을 알아챈 걸 아는 모양이야. 나는 엄중하게 감시받고 있어. 그래서 비밀을 알아도 알릴 방

법이 없었어. 그런데 오늘은 꼭 알리고 말 거야. 그래서 너한테 전해주려고 하는데 나는 한 발자국도 못 나가. 전할 방법은 하나밖에 없어. 똑똑히 보렴, 넌 여기 있는 티켓으로 객석에 들어와. 이 자리는 제일 앞자리야. 거기에 앉아 있으면 내가 무대에서 증거품을 던질게. 그러면 네가 그걸 주워서 바로 집으로 돌아가 아빠한테 전해줄래? 중대한 일이니까 실수하지 않도록 부탁할게! 만약 이걸 성공하면 아빠도 분명 내 죄를 용서해주시겠지. 그것만을 바라고 나는 목숨을 걸 거야. 고로야, 부탁해!

가엾은 형이

피에로의 죽음

"가엾은 형이."

중얼거리는 고로의 눈에는 뜨거운 눈물이 흘러넘쳤다. 이제 알았다. 극단의 비밀이란 수상한 살인사건이 분명하다.

'이 녀석들 한꺼번에 다 잡아주겠어!'

고로가 그렇게 마음먹고 나자, 문득 유키코의 일이 걸렸다. 다시 생각해보니 형의 전화로 유키코는 집을 나갔다. 그런데 형을 만나지 못했다고 하면······.

'놈들에게 들킨 거야.'

고로는 번뜩이듯 그렇게 생각했다. 유키코는 지금 무시무시한 살인 집단의 손에 잡혀 있다.

고로는 단호하게 일어섰다. 그리고 식당을 나와 바로 경시청에 전화를 걸어 예전에 아빠 친구로 잘 알고 지내던 후야마 형사과장을 불러 무언가 부탁한 뒤, 종이 뭉치 안에 들었던 티켓으로 극장 안에 들어갔다.

이미 첫 번째 마술 공연의 막이 올라갔고, 극장 안은 관객으로 가득 차 있었다. 고로의 자리는 제일 앞줄로 무대에 손이 닿을 정도였다.

'이 정도면 괜찮네.'

그렇게 생각하고 앉았지만, 연기를 볼 여유는 없었다. 형이 언제, 어디에서 증거품을 던질지 몰라 손에 땀을 쥐면서 그저 그것만을 신경 쓰고 있었다.

두 번째 공연은 경쾌한 희극이었다. 세 번째가 무용 공연, 그다음이 희극이 섞인 마술 공연으로 그때 처음으로 피에로가 나왔다.

헐렁헐렁한 옷, 통 모자, 얼굴에 새하얀 분을 바르고 눈과 입을 큼지막하게 그려 넣은 피에로. 분장하고 있어서 알아보기 어려웠으나 체격은 어딘지 모르게 잊기 힘든 형의 모습이었다.

'형이야.'

그렇게 생각했을 때 피에로도 고로의 얼굴을 지그시 바라보는 것 같았다.

고로는 숨을 죽였다. 무대에서는 연기가 시작되었다.

먼저 마술사 3명이 서로 교묘한 마술을 보여주었다. 그러자 피에로가 옆에서 속임수를 밝혀내는 지극히 평범한 줄거리였다. 그러나 피에로의 연기가 뛰어나 관객들이 우레 같은 갈채를 보냈다. 고로는 물론 그런 소리가 귀에 들어오지 않았다. 당장에라도 형이 뭘 던질까 하며 엉덩이를 들썩거리며 기다렸다.

그러자 곧, 피에로가 너무 방해한다며 마술사 한 사람이 화를 내고 권총을 꺼내 피에로를 쐈다.

"탕!!"

귀를 울리는 총소리.

"아아악."

피에로는 목구멍에 걸린 듯한 신음과 동시에 가슴을 누르고, 비틀비틀하며 마술용 테이블로 쓰러졌다. 관객들은 그 모습도 당연히 연기라고 생각했다. 그런데 마술사들의 안색이 확 바뀌고, 피에로가 가슴에 피를 흠뻑 흘리며 쓰러지는 모습을 보더니 관객들도 놀라서 낯빛이 바뀌며 다들 일어났다.

"아, 방금 실탄이었나봐."

"그래, 실탄인가봐."

"피에로가 죽겠는데."

무대에서는 마술사 한 사람이 피에로 쪽으로 달려와 횡설수설하면서 외쳤다.

"막, 막을, 막을 내려."

그러나 그때 고로가 절규하면서 무대로 뛰어 올라왔다.

"멈춰! 그 몸에 손대지 마."

이어서 만일을 대비해 고로가 부탁해 둔 20명 남짓한 사복형사가 제각기 고로가 있는 무대로 달려 올라왔다.

환락의 대극장은 일순간 공포의 도가니로 변했다. 무대 바깥에서는 시끌벅적한 관객으로 혼잡스러웠고, 무대 안에서는 고로가 피투성이 피에로를 안아 일으키고 미친 사람처럼 소리치고 있었다.

"형! 나야. 고로!! 정신 차려! 약속 잊은 거야, 형, 형!!"

"고…… 로."

피에로는 겨우 고개를 들어 힘겹게 굳어가는 혀로,

"여, 여- 여기, ……여기를-."

형은 가슴을 가리키면서 거기까지 말하더니 앞으로 기우뚱 쓰러지고 숨이 멎었다. 고로는 피에로 복장을 쫙쫙 찢었다. '여기!' 하고 가리켰으니까 중대한 비밀을 간직하고 있음이 분명하다. 그러나 아무것도 나오지 않았다. 셔츠 아래를 살펴봐도 몸 전체를 다 뒤져봤는데도 종이 한 장 나오지 않았다.

'어떻게 된 거지?'

고로는 이성을 잃기 직전이었다.

'형이 죽었다, 실수일까 고의일까? 총알이 없어야 할 권총에 실탄이 들어 있었다. 그리고 비밀을 간직한 채로 사살되고 말았다. 게다가 증거품도 갖고 있지 않다면, 형은 그저 개죽음을 당한 것에 불과하지 않은가.'

"아아, 하느님!"

고로는 그만 통곡했다.

주검이 말하다

설령 과실이라 하더라도 명백한 살인사건이므로 피에로의 사체와 같이 극단 <웃는 요괴>의 단원은 그 자리에서 경시청으로 연행되었다.

조사는 간단했다. 무대용 권총에 실탄이 들어 있었다. 더군다나 그 권총에 빈 총알을 넣는 일은 피에로의 역할이었다(이런 경우에는 총을 맞는 쪽이 총알을 넣는 것이 관례이다. 즉 자신이 맞는 역할이므로 실수할 리가 없다는 의미에서다). 이렇게 보면 쏜 남자에게는 전혀 죄가 없다.

그렇게 조사가 진행되는 경시청에서 고로는 필사적으로 생각을 정리해보려 애를 썼다.

'형은 '목숨을 걸더라도 비밀을 건네겠다.'라고 적었다. 형이 거짓말을 할 리가 없다. 형은 비밀을 알고 있었던 게 분명하다. 그리고 나한테 건네려고 했다. ……잠깐, 그들은 형을 감시하고 있었다. 혼자서는 식당에도 나오지 못했다. 그래서 형은 무대에서 증거품을 나한테 던져서 전하려고 했다. 그 직전에 사살되었다. 권총의 실탄은 형이 넣었다. 형이 ……스스로 자신의 목숨을 끊는 바보짓을 한 걸까, 그런 실수를?!'

거기까지 생각했을 때 고로는 형이 죽기 직전에 했던 말을 한 번 더 떠올려보았다.

'형은 가슴을 누르면서 '여기에.' 하고 말했다. 그런데 옷을 다 벗겨 살펴봤지만, 아무것도 나오지 않았잖아. 그러면 '여기에.' 하고 말한 이유에 다른 의미가 있는 걸까?'

"앗!"

고로는 깜짝 놀라면서 의자에서 벌떡 일어났다.

"그래, 그거야, 형!! 알았어, 이제 알았어. 그걸 눈치채지 못했던 내가 바보야. 그런 거지, 형!!"

거의 울 듯이 소리친 고로는 느닷없이 수사 담당 경찰관 앞에 우뚝 서서 말했다.

"피에로 시체를 해부해주세요. 중대한 비밀이 숨겨져 있을 거예요."

"시체에? ……중대한 비밀이라니?"

"얼른 해주세요. 그게 설명이 될 겁니다. 저는 아빠를 데리고 올게요. 물론 이 녀석들은 한 놈도 도망 못 가게 해주시고요!"

고로는 이렇게 말하자마자, 모자를 쥐고 밖으로 뛰쳐나갔다.

1시간 후, 고로가 아빠를 데리고 돌아오자 애타게 기다렸던 수사 담당 경찰관은 이치조에게 인사하는 것도 잊은 채, 흐트러진 모습으로 소리쳤다.

"고로야, 있었어! 있더라고."

"있었습니까?"

"해부했더니 사체의 위에서 엄청난 게 나왔어. 이걸 좀 봐, 전부 요항 지대의 기밀 사진이야. 방공 설비를 찍은 거지. 초소형 카메라로 찍은 필름, 다 합쳐서 73장이야. 전부 국방상 중대한 거야."

　테이블 위로 펼친 기름 닦는 천에는 엄지손가락 크기만 한 현상 필름이 있었다. 아, 수상한 살인사건의 범인이라고만 생각했던 건 착오였고, 적은 그 이상 가공할 만한 스파이였다.

"그리고 편지가 있었어. 읽어봤더니 유키코가 일동 극장 지하실에 감금되었다고 적혀 있어서 지금 막 사람을 보낸 참이야."

"보여주세요."

　고로는 편지를 받아들고 펼쳤다.

　고로야, 좀 전의 약속은 취소할게.

　나는 놈들에게 들켜서 만사 도루묵이 되었어. 나는 증거품과 같이 이 편지를 삼킨다. 그리고 권총에 실탄을 장전한다. 무대 위에서 내가 사살되면 틀림없이 경찰이 현장을 덮치겠지. 그것 말고는 방법이 없구나. 너는 머리가 좋으니까 분명 시체를 해부해야 한다고 알아채겠지. 너가 알아채기만을 신에게 빈다. 아빠를 만나서 "용서해주세요." 하고 말씀드리지 못하고 죽는 게 유감이구나. 고로야, 네가 대신 말해주렴.

"형은 야쿠자였어요. 그렇지만 마지막은 나라를 지키고 훌륭하게 갔습니다." 하고.

유키코는 일동 극장 지하실에 있어. 빨리 구하러 가줘. 나는 저세상에서 모두의 행복을 빌고 있을게.

이치로

"아빠."

고로는 목메어 흐느끼면서 아빠에게 편지를 건넸다. 그 자리에 해부가 끝난 시체가 운반되었다. 고로는 바로 달려가 손수건을 물에 적셔 새하얀 분을 천천히 닦아내었다. ……한 번 닦을 때마다 나타나는 형의 얼굴, 그리운 형의 얼굴이, 눈물에 어려서 환영처럼 흐리게 보였다.

"고로야."

아빠가 다가왔다.

"아빠."

고로는 돌아보고 눈물을 흘리며 말했다.

"보세요. 형이에요. 형은 훌륭하게 죄를 갚았어요. 잘했다고…… 칭찬해주세요."

그러나 이치조는 아무 말도 하지 않았다. 그저 말없이 이치로의 차가운 손을 꼭 쥐었다. 그 이상 무엇을 말할 필요가 있을까. 이제야 부자지간의 틈이 딱 메워졌다.

유키코는 그날 밤 구조되었고, 극단 <웃는 요괴>의 단원 17명은 (그 대부분은 XXX 국의 스파이였다) 체포되었다. 그리고 엄중히 조사한 결과 수상한 살인사건 7건은 그들이 촬영하는 현장이 발각되어서 죽였다는 사실까지 드러났다. ……그들이 어떤 판결을 받을지 그건 여기에 기술할 필요도 없으리라.

제3화 해안가 별장의 살인

손님 넷

"엘, 아직 멀었어?"

다카노 센시가 베란다에서 서슴없이 들여다보며 말을 걸었다. 거울 앞에서 자외선 차단용 흰색 분을 바르던 시즈코는 깜짝 놀라 말했다.

"그런 데서 들여다보는 거 싫어. 센시, 화장하는 모습은 남자가 보는 거 아니거든."

"나는 괜찮은데, 다들 문 앞에서 기다리고 있어."

"먼저 가, 나는 할아버지한테 인사하고 나가야 해. 그리고 있잖아, 센시. 날 엘이라고 부르지 마."

"알겠습니다, 엘."

"나 놀리는 거야?"

시즈코는 인상을 찌푸리며 돌아보았다. 다카노 센시는 쓴웃음을 지으며 대답했다.

"내가 부르면 그렇게 기분이 나빠? 다들 그렇게 부르잖아."

"아무도 그렇게 안 불렀으면 좋겠어. 돌아가신 아빠뿐이야. 날 엘이라 부를 수 있는 사람은. …… 아빠는 좋은 분이셨지. 내가 엄마를 닮아서 엄마 같다는 의미에서 프랑스어로 그녀를 뜻하는 엘이라고 부른 거야. 엄마는 내가 어릴 때 돌아가셔서 얼굴이 기억나지 않지만, 아빠가 엘이라고 부를 때는 내 안에 엄마가 살아있는 듯한 기분이 들었어."

"미안해, 시즈코."

센시는 시선을 떨구고 말했다.

"그런 이유가 있는 줄은 몰랐어. 앞으로 조심할게."

"모두에게 그렇게 말해줘. 네 명 다 내가 좋아하지 않는다고. 너희들은 다 껄렁해서 싫다고!"

"나도 그렇게 생각해."

다카노 센시는 중얼거리듯 말하더니 다시 빙글 돌아 성큼성큼 정원으로 내려갔다.

이곳은 가나가와현의 구게누마 해안가에 있는 나이 든 나카무라 쇼에몬 자작의 별장이다. 넓고 커다란 정원이 있고, 백악으로 지어진 양옥에는 수년간 관절염으로 고생하는 노자작과 18살인 손녀 시즈코, 거기에 집사 가리타 헤이키치와 하인 셋이 살고 있었다.

그 별장에 한여름 휴가철을 맞아 청년 넷이 피서를 왔다. 이노우에 이치로, 구라 게이키치, 다카노 센시, 아라키 기요시로 다들 나카무라 일가와 친척인데, 시즈코는 그들이 어떤 목적으로 이곳에 왔는지 빤히 알고 있었다. 한마디로 말하면 그들은 나카무라 집안의 막대한 재산을 노리고 있었다. 어떻게든 노자작의 마음을 얻고, 시즈코와 결혼해서 이 나카무라 집안의 어마어마한 재산을 손에 넣으려 하고 있었다.

"음, 그럴지도 모르지."

노자작은 시즈코의 생각을 들었을 때 고개를 끄덕이며 말했다.

"그런데 조금은 껄렁해 보이는 녀석 중에 도리어 천재가 있기 마련이거든."

그러나 시즈코는 노자작의 말을 잘 이해하지 못했다. 다카노 센시는 그런대로 괜찮지만, 다른 셋은 덜렁대는 데다 난폭해서 중학교 때는 경찰의 골칫거리가 된 적도 있는 녀석들이었다. 시즈코는 '난 방심하지 않을 테야.'라고 마음먹었다.

다카노 센시가 나가자, 시즈코는 서둘러 화장을 끝내고 할아버지 방으로 들어갔다. 자작은 안락의자에 깊숙이 앉아 새로 도착한 프랑스 잡지를 읽고 있었다.

"할아버지, 오늘은 기분이 어떠세요?"

"응, 좋구나."

노자작은 돌아보며 물었다.

"제법 예쁘구나, 바다에 나가는 게냐?"

"네, 이 케이프는 새로 맞춘 거예요."

"잘 어울리네. 저쪽을 보고 서보렴. 오오, 정말 예뻐. 껄렁한 녀석들이 깜짝 놀라겠는걸."

"그만 하세요, 할아버지."

"얼른 다녀오렴. 참, 부탁 좀 하자꾸나. 마사야한테 포도주를 내달라고 해줄래?"

"어머 웬일이에요, 드시게요?"

"어제부터 몸 상태가 무척 좋네! 쿠션도 치워버렸고, 오랜만에 한잔 맛보고 싶어서 말이지."

"다행이네요, 바로 내오라고 할게요."

"술 창고 열쇠는 가리타 방에 있단다."

"그리고 보니 가리타는 아직 돌아오지 않았네요."

집사인 가리타 헤이키치는 오카야마에 있는 형이 갑자기 아프다는 전보를 받고, 사흘 전에 오카야마로 갔는데 예정대로라면 돌아왔어야 했다. 노자작은 테이블 위로 시선을 옮기며 말했다.

"좀 전에 전보가 왔어. 이틀이나 사흘 더 머물렀으면 한다는구나. 뭐 힘세고 다부진 젊은이들이 넷이나 있으니 여기 걱정은 안 해도 될 테다."

불안한 조짐

시즈코가 할아버지 방을 나와 모래밭으로 가자, 청년 넷은 벌써 한 차례 수영을 끝냈는지 커다란 비치파라솔 그늘에 누워 있었다.

"이야, 아가씨가 나오셨습니다."

"늦으셨군요."

"자, 이쪽으로 들어오시지요."

센시는 잠자코 있었지만 다른 셋은 매우 친근하게 굴며 곧장 손을 잡을 듯이 일어나 다가왔다.

"고마워요."

시즈코는 차갑게 대꾸하더니 케이프를 벗고,

"전, 먼저 수영하고 올 테니까." 하더니 활기차게 물가로 가버렸다. 날씬하고 동그스름한 어린 사슴처럼 아름다운 몸에 딱 붙은 새하얀 수영복이 그려내는 곡선은 멋있었다. 구게누마에서도 그 해변은 부르주아 지역이라 멋진 선남선녀들만 모여 있었는데 그중에서도 시즈코의 미모는 단연 눈에 띄어서 '순백의 아가씨'라는 소문이 자자했다.

"봉쥬르(안녕), 마드모아젤(아가씨)."

"봐봐, 공주님 그 자체야."

"오늘은 꼭 이기겠어."

주변에 있던 청년들은 그런 말을 하면서 시즈코의 뒤를 따라 바다로 들어갔다. 시즈코는 미모뿐 아니라 수영도 그 해변에서 따라올 사람이 없었다. 항상 바다에 들어가자마자 혼자서 아득히 먼바다로 쭉쭉 헤엄쳐 가버렸다. 그리고 쫓아온 무리가 겨우 시즈코 근처로 올 즈음에는 크게 돌아 다른 방향에서 얼른 모래밭으로 돌아오기 일쑤였다.

오늘도 여느 때처럼 한층 더 눈에 띄는 자유형으로 먼바다를 향해 계속 쏜살같이 나아가고 있자, 뒤에서 부르는 사람이 있었다.

"시즈코 씨, 기다려주세요."

"중요한 이야기가 있어요."

"……?"

뒤를 돌아보니 아라키 기요시였다. 기요시는 시즈코가 속도를 늦추는 사이 평형으로 다가와 나란히 헤엄치면서 말했다.

"노자작과 당신을 죽이겠다는 협박장을 보낸 놈이 있어요."

"장난이죠?"

"현금 만 엔*을 내어놔라, 내놓지 않으면 아무리 경계해봐야 소용없다고 적혀 있었어요. 오늘까지 다섯 통이나 받았어요."

"그런 이야기라면 할아버지한테 하세요."

---

*소설을 발표한 해(1938년)의 만 엔은 2024년 현재 기준 5천만 엔 정도, 한화로 약 5억 원.

그렇게 말하자마자 시즈코는 속도를 올려서 거침없이 나아가 아라키와 멀어졌다.

시즈코는 아라키의 이야기를 처음부터 거짓말이라 여겼다. '그런 이야기로 내 마음을 떠보려는 속셈이 분명해. 그게 아니면 이렇게 바다 한가운데에서 말할 이유가 없지.'라고 생각했다. 그런데, 크게 돌아서 모래밭으로 돌아와 쉬려고 비치파라솔 아래로 들어갔을 때 같은 이야기를 또 들었다.

시즈코가 모래 위에 조금 지친 몸을 기분 좋게 내밀고 있으니, 이노우에 이치로가 재빠르게 다가와 살며시 옆에 앉았다.

"시즈코 씨, 중요한 일이 있어요. 오늘까지 비밀로 했는데, 실은 네댓새 전부터 협박장을 보내는 놈이 있어요. 처음에는 누가 장난친다고 생각했는데."

"만 엔을 내어놓든지, 그렇지 않으면 할아버지와 저를 죽인다고 하는 거죠?"

"이, 이미 알고 있었어요?"

"방금, 아라키 씨한테 들었어요."

"아라키가?"

이노우에 이치로는 금세 낯빛이 확 바뀌었다. 그저 낯빛만 바뀐 게 아니라 몽둥이로 허공을 때리는 시늉을 하고 신음하듯 말하며 돌아보았다.

"그래, 이제야 알겠네."

"시즈코 씨, 이제 알아냈어요! 아라키입니다. 아라키가 꾸민 짓이 틀림없어요."

"뭐가 아라키 씨라는 거죠?"

"협박장에 관해 아는 사람은 저와 구라 둘뿐입니다. 둘이서 뭔가 대책을 세워야겠다고 이야기했고, 아라키한테도, 다카노한테도 말하지 않았어요. 게다가 말이죠, 우리가 보기에 협박장의 필체가 분명히 아라키 글씨 같았어요."

"그게 어쨌다는 거죠?"

"뻔하지 않나요. 녀석은 당신과 나카무라 집안의 재산을 노리고 있는데, 아무래도 안 될 것 같으니까 만 엔으로 협박하려는 거죠. 우리만 아는 일을 녀석이 알고 있었다, 그리고 필체, 이 두 가지가 증거입니다."

"그런데, 그 협박장을 어떻게 이노우에 씨와 구라 씨만 알고 있는 거죠?"

"당신을 놀라게 하고 싶지 않았기 때문이죠."

"고마워요. 그럼 앞으로도 제발 놀라지 않게 해줘요. 난 이런 이야기 듣는 것도 질색이거든요."

시즈코는 그렇게 말하고 일어섰다.

한밤의 사건

시즈코는 감정이 극에 달했다.

'만 엔 협박장! 돈을 내어놓지 않으면 노자작과 같이 죽여버리겠다. 정말 그런 협박장이 온 걸까? 이노우에 이치로도 말하고, 아라키 기요시도 말했으니까, 분명 거짓말은 아니겠지. 그럼 누가 그렇게 대범한 짓을 했단 거지?'

'이노우에 씨는 말한 것과 달리 잘 생각해보면 그 사람도 나랑 재산을 노리고 있고, 내가 이노우에 씨를 싫어하는 것도 알고 있을 거잖아.'

- 47 -

'만약 나와 재산을 손에 넣기 어려워서 그런 협박장을 보낸 거라면, 누구든 네 명 다 의심해봐야 해.'

그렇게 생각하자 아무것도 손에 잡히지 않았다.

"이럴 때 가리타가 있어줬으면."

시즈코는 불쑥 중얼거렸다.

집사인 가리타 헤이키치는 무뚝뚝한 40살 남자였다. 어딘가 속을 알기 힘든 면도 있었지만, 7년 이상 매우 충실하게 일하고 있는 모범 집사였다.

"가리타라면 이럴 때 이야기해볼 수 있을 텐데, 언제 돌아오는 거람."

"시즈코, 들어가도 돼?"

문밖에서 다카노 센시의 목소리가 들렸다. 저녁 식사 후, 두 시간도 더 지나 벌써 9시가 다 되었다. "안 돼." 하고 대답하기도 전에 센시는 문을 열고 들어왔다.

"외로운 밤이야, 엘…… 아니지, 입버릇이라 미안해."

"센시도 외로울 때가 있어?"

"있지. 정말 가끔이지만, 외로워서 견디기 힘들 때가 있어. 특히 오늘 밤은!"

"왜 오늘 밤이야?!"

"넌 비웃겠지만."

센시는 창가로 다가가 어두운 정원을 지그시 바라보며 말했다.

"왠지 오늘 밤은 이상해. 조금도 진정이 안 돼. 끊임없이 쫓기는 기분이야. 전에도 이런 기분을 느낀 적이 있거든. 그리고 기억은 잘 안 나는데 꼭 불길한 일이 일어났던 것 같아."

"불길한 이야기 같은 거 질색이야."

"나도 그래. ……찜찜한 기분이야. 있지, 시즈코. 후지사와에 같이 갈래?"

"싫어."

"그렇게 말할 줄 알았어."

센시는 쓸쓸하게 웃더니 두세 걸음 방안을 돌아다니다가 잠시 뒤 혼잣말처럼 중얼거렸다.

"못 참겠어. 이대로라면 아무래도 오늘 밤은 못 잘 것 같아. 후지사와에 있는 요시무라한테 가서 장기라도 두고 올게. 그럼, 잘자."

센시는 조용히 밖으로 갔다.

'저 인간이 왜 저러는 걸까?'

협박장 소문으로 걱정할 때도 그랬고, 평소와 다른 다카노 센시의 묘한 태도를 보고 시즈코는 한층 더 불안해졌다.

'차라리 할아버지한테 말해볼까? 아니야, 안 돼. 모처럼 몸 상태가 좋아지셨는데 이런 일을 말씀드려선 안 돼.'

머리를 세차게 흔든 시즈코는 곧 하녀 마사야를 불러서 잠옷으로 갈아입고, 읽다 만 책을 들고 침실로 들어갔다.

11시까지 꾸벅꾸벅 졸다가 어느 사이엔가 잠든 모양이었다. 어디선가 "쿵쾅." 하고 난데없이 기분 나쁜 소리가 들려서 눈을 번쩍 떠보니 벽시계가 때마침 1시를 가리키고 있었다.

'이상한 소리가 난 것 같은데.'

시즈코가 침대 위에 고쳐 앉자 연이어 어딘가에서 "꽝." 하고 문이 닫히는 소리가 났다.

'할아버지 방이잖아.'

시즈코는 잠옷 위로 가운을 걸치고 침실을 나와 급히 노자작의 방으로 달려갔다.

"할아버지, 주무셔요?"

문을 두드리면서 불렀다.

"……."

"할아버지, 깨셨어요?"

"……."

대답이 없었다. 시즈코는 혹시나 하는 마음에 가만히 있을 수 없었다. 문을 밀어젖히고 안으로 들어갔다. 방 안에는 전등이 환하게 켜져 있었다. 그리고 노자작은 안락의자와 같이 바닥 위에 쓰러져 있었다.

"아니! 할아버지!"

시즈코는 소리치면서 뛰어 다가갔다가 아연실색해서 그 자리에 멈춰 섰다. 피! 피! 노자작의 뒤통수에서 흘러넘친 피가 바닥을 흠뻑 적시고 있는 게 아닌가.

"마사야!"

시즈코는 절규하면서 방에서 뛰쳐나갔다. 하인 로쿠스케 할아범과 마사야, 나이 든 하녀가 달려와서 곧장 의사와 경찰에 전화를 걸었다. 그런데 이노우에도, 구라도, 아라키도 집 안에 없었다. 물론 다카노 센시도…….

누가 범인일까

경찰에서 서장을 비롯하여 유능한 형사들이 바로 찾아왔다. 조사 결과는 다음과 같았다.

범인은 창문으로 침입해 안락의자에서 책을 읽던 노자작을 쇠파이프로 살해하고, 금고 안에서 6천 엔 남짓의 현금을 훔쳐서 달아났다. 이것이 사건의 줄거리였다.

우려하던 사건이 끝내 일어나고 말았다.

"그 사람들을 잡아주세요!"

시즈코는 미친 듯이 소리쳤다.

"구라, 아라키, 이노우에, 그리고, 그리고 다카노 씨. 이 네 사람을 잡아주세요! 범인은 분명 그 안에 있어요!"

"아가씨, 제발 진정하세요."

"아니요, 저는 알고 있어요!"

시즈코는 서장의 말을 막으며 소리쳤다.

"그 사람들은 우리 집안의 재산을 노리고 있었고, 저는 네 명 다 싫어했어요. 다들 그래서 협박장이니 뭐니 하며 저를 협박했다고요!!"

"협박장이라니요?"

서장이 자신도 모르게 몸을 내밀었다. 그리고 시즈코에게 낮에 있었던 이야기를 자세히 듣더니 말했다.

"그랬습니까? 그것은 중대한 사건이네요. 그리고 네 사람 다 지금은 여기에 없단 말이군요."

"저녁 먹을 때는 다 있었는데, 다카노 씨는 9시쯤 후지사와에 있는 친구에게 간다며 나갔고, 나머지 세 사람은 있겠지 싶었죠."

"어이, 바로 수배해."

서장이 돌아보며 소리쳤을 때 구라, 이노우에, 아라키 세 사람이 방으로 들어왔다.

"아아!"

시즈코는 뛰어오르며 소리쳤다.

"왔어요! 저 사람들이에요!!"

"무, 무슨 일입니까?"

세 사람이 심상치 않은 방 분위기에 눈을 크게 뜨면서 다가오려는 것을 서장이 가로막았다.

"기다려봐. 내가 설명해주지. 자작이 살해됐어. 범인은 저 창문으로 침입해서 자작을 죽이고, 금고의 돈을 훔친 다음 도망갔다."

"저, 정말입니까?!"

세 사람의 안색이 싹 변했다. 서장은 냉정하게 그 모습을 보면서 물었다.

"그래서 묻겠는데, 대체 자네들은 이 시간까지 어디에 가 있었던 거야?!"

"저, ……어디냐면, 저기."

"똑바로 말해!"

세 명 모두 새하얗게 질려 눈을 내리깔았다. 그 모습을 보자 시즈코는 참기 어려웠는지 다그쳤다.

"말 못 하겠지. 할아버지를 죽인 놈은 당신들이니까! 협박장 이야기 같은 걸 지어내서 다른 사람 일인 양 속인 다음에 할아버지를 죽이고, 돈을-."

"아니에요, 시즈코 씨."

아라키가 움찔거리면서 시즈코의 말을 잘랐다.

"그런 의심은 너무하세요. 자, 말씀드리지요. 실은 이상한 일이 있었습니다. 저녁을 먹고 방에 들어가자 협박장과 같은 필체의 편지가 있었고, 새벽 1시까지 서쪽 모래밭의 소나무 아래로 오라고 적혀 있었습니다. 중요한 내용인 데다 절대 위험하지는 않을 거라 싶어 가보았더니 구라와 이노우에가 기다리고 있었습니다."

"저희도 같은 편지를 받았습니다."

이노우에 이치로가 옆에서 말했다.

묘한 이야기였다. 서장은 진위를 확인하려고 엄중한 조사를 시작했다. ……그리고 세 사람이 받은 편지를 각각 살펴보고, 서쪽 모래밭의 소나무로 형사를 보내 실제로 세 사람이 거기서 몇 시간을 보냈는지 조사하는(그곳에는 엄청난 양의 담배꽁초와 타다 남은 성냥이 떨어져 있었다) 동안 날이 완전히 새고 말았다.

시계가 6시를 가리켰을 때, 집사인 가리타 헤이키치가 여행 가방을 들고 돌아왔다. 가리타는 하인 로쿠스케에게 사건을 들었는지 완전히 이성을 잃은 모습으로 시즈코에게 허둥지둥 달려오면서 시즈코를 불렀다.

"아가씨, 아가씨이."

시즈코도 눈물을 머금고 흐느끼듯 대답했다.

"가리타, 왜 빨리 돌아오지 않았어? 너만 있었어도 이런 일은 안 일어났을 텐데."

"죄송합니다. 형의 병세가 좋아지지 않아서요…… 그래서, 범인은 잡았습니까?"

"자네가 이 댁 집사인가?"

서장이 다가와서 물었다.

"네, 그렇습니다."

"오카야마에 갔다고 하던데, 지금 돌아온 건가?"

"네, 후지사와역에 오전 5시 30분 도착 열차로 돌아왔습니다."

"틀림없겠지?"

"거짓말을 할 리가 있겠습니까."

가리타 헤이키치가 분명하게 대답했을 때, 다카노 센시가 응접실에서 문을 열고 느긋한 발걸음으로 들어왔다. 그리고, 서장을 비롯한 모두가 놀라서 입을 떡 벌리고 있는 가운데 방 한복판까지 들어오더니 양손을 펼치면서 말했다.

"다들 저를 찾고 계셨겠죠. 저도 자작을 살해한 혐의자 중 한 명일 테니 서둘러 왔습니다. 아, 잠시만요. 저한테 잠깐만 말할 시간을 주시겠습니까? 서장님."

첫 번째 열차!

"사건의 경과는 이미 알고 계신 대로입니다. 그리고 저와 구라, 이노우에, 아라키 넷은 가장 의심받는 처지이고요. 실은 저는 좀 전부터 옆방에서 듣고 있었는데 세 사람이 서쪽 모래밭의 소나무에 몇 시간 있었다는 말은 정확한 사실이 아닙니다. 그곳에 담배꽁초와 타다 만 성냥이 있었다고 해도 그것이 정확히 어젯밤에 버린 것이란 확실한 증거가 없기 때문이죠."

"너는 우리를 범인이라고 말하는 거야?!"

이노우에가 성을 내며 소리쳤다.

"너야말로 지금까지 어디에 있었던 거야!! 우리를 불러낸 편지도 네가 보낸 것 아니야?!"

"일단 들어보시게, 본론은 지금부터니까."

센시는 조용히 웃으며 서장을 돌아보았다.

"서장님, 이 방에 있는 물건에는 아무도 손을 대지 않았겠죠."

"하나도 손을 대지 않았지."

"저 쿠션도요?"

모두 센시가 가리키는 곳을 보았다. 쓰러져 있는 노자작의 발치에 자작이 관절염을 앓는 발을 늘 올려놓던 쿠션이 떨어져 있었다.

"물론 저것도 저기에 있는 그대로지."

"있잖아, 시즈코."

센시는 시즈코를 돌아보았다.

"자작은 최근 사나흘 동안 몸 상태가 아주 좋아져서 쿠션을 안 쓰고 치워두셨지?!"

"응, 그러셨지."

"이상하네. 내가 엊저녁에 왔을 때도 이 쿠션은 테이블 구석에 놓여 있었어. 서장님, 여기 있는 사람은 다들 쿠션이 치워져 있었다는 사실을 알고 있습니다."

"대체 그게 어쨌다는 건가?!"

"모르시겠습니까?"

센시는 히죽 웃으며 반문했다.

"범인은 말이죠, 이 쿠션이 치워진 걸 몰랐습니다. 예를 들면, 집사인 가리타는 일주일 전에 오카야마에 갔죠. 그때는 자작이 쿠션을 쓰고 있었습니다. 그래서 만약에 예를 들어 가리타가 범인이라고 하면 말이죠. 자작을 죽이고 나서 방 안에 증거가 될 만한 흔적을 남기지 않았나 하고 둘러봤을 때, 쿠션 위치가 달라진 걸 알아채고 그만 평소 습관대로 원래 위치로 돌려놓았겠죠. 즉, 구석에 있었던 걸 모르고 말입니다."

"어, 엉뚱한 말 하지 마!"

가리타 헤이키치가 크게 소리쳤다.

"화를 내는데, 가리타. 지금 이야기는 가설일 뿐이야. 즉 쿠션 위치를 바꾼 사람이 있다면 여기에는 당신 말고는 아무도 없단 말이지."

"그래서 내가 범인이라는 거야?"

"나는 그게 의심스러운데. 왜냐면, 네가 거기에 열쇠 꾸러미를 갖고 있으니까 말이야."

"……."

가리타는 흠칫 놀라면서 조끼의 앞가슴을 눌렀다.

"그건 술 창고 열쇠야. 그리고 그 열쇠는 어제 마사야가 썼어. 자작이 포도주를 마시고 싶다 해서 자네 방에서 이곳으로 가지고 왔거든."

"그래, 맞아!"

시즈코가 얼떨결에 외쳤다. 센시는 한 발 앞으로 쓱 나아가더니 날카롭게 추궁했다.

"넌 어젯밤에 이 방으로 왔어. 그리고 자작을 살해하고, 돈을 훔쳐서 달아났지. 제일 확실한 증거를 말해줄까? 너는 방금 후지사와역에 오전 5시 30분에 도착한 첫 번째 열차로 왔다고 했는데, 그 열차는 누마즈에서 탈선해 두 시간 연착이 됐거든!"

"아앗!"

가리타 헤이키치는 휘청휘청하며 비틀거리다 "젠장." 하고 소리치더니 맹수처럼 센시에게 달려들었다. 센시는 간발의 차이로 날쌔게 몸을 돌려 가리타의 오른팔을 반대로 비틀어 올리고 허리 돌리기로 "이얏!" 하고 그 자리에서 때려눕혔다. 동시에 형사들이 우르

르 달려들어 수갑을 채워버렸다.

"가리타는 7년 동안 성실하게 근무하면서, 실은 끊임없이 틈을 노렸던 거야."

그일 이후 닷새가 지난 아침, 시즈코와 센시는 베란다에서 홍차를 홀짝이면서 이야기했다.

"그런데 우리 네 명이 온 거지. 나는 별개로 치고 이노우에와 구라, 아라키가 여기 재산을 노리고 너랑 결혼하려고 꾸미는 걸 알게 된 거야. 그래서, 가리타는 위장 전보로 형이 아프다면서 오카야마 시로 갔어. 물론 그건 속임수였고, 실은 여기에 숨어 지내면서 아라키와 이노우에한테 따로 발각되도록 협박장을 보낸 거야. 그들은 너한테 잘 보이려고 서로 경쟁했잖아. 그 모습으로 오히려 네가 그들을 의심하게 되었고, 실제로 너는 그들을 의심했어. 그리고 가리타는 위장 편지로 세 사람을 소나무로 유인하고, 그 사이 그런 끔찍한 짓을 저지른 거야.

나도 실은 사건 전날 밤까지는 세 사람이 수상하다고 여겼어. 무슨 짓을 저지르지 않을까 하며 주시하고 있었지. 만약 가리타를 눈치챘다면 자작을 구할 수 있었을 텐데…… 그걸 생각하면 유감이야."

"그래도 고마워. 솔직히 말하면 난 널 의심했는 걸, 바보 같았지."

"위안이라면 자작의 원수를 그 자리에서 발견할 수 있었던 거지. 가리타는 악인이 되기 힘든, 어리석은 사람이었어. 그 쿠션이랑 열쇠. 집사로서의 평소 습관이 그를 자멸시킨 거지. 그리고 첫 번째 열차."

"첫 번째 열차라니?"

"누마즈에서 탈선했다고 한 거 거짓말이었어. 그건 가리타가 첫 번째 열차로 진짜 도착했는지 확인하기 위한 함정이었지."

"세상에."

"있지, 시즈코."

센시가 하려는 말을 시즈코가 슬쩍 막으면서 말했다.

"엘이라고 불러줘."

"어? 허락해주는 거야?"

"응, 너한테만……."

"앗싸!"

센시는 손뼉 치며 소리쳤다. 비극이 일어난 이 집에 처음으로 들리는 밝은 목소리였다.

제4화 폐등대의 수상한 새

보라, 저 목에 보이는 수상한 새의 발톱 자국을!

"꺄아악."

멀리서 사람 비명이 희미하게 겹겹의 메아리가 되어 한동안 들렸다.

침대에 모로 누워 협탁 위의 램프 빛으로 잡지를 읽던 게이코는 흠칫 놀라 고개를 들었다. 절벽에 부딪히는 거센 파도가, 악마의 포효처럼 한밤중 허공으로 무시무시하게 울려 퍼지는 소리 말고는 고요히 모두 잠든 건물 안에는 어떤 소리도 들리지 않았다.

"이상하네, 방금 분명히 사람 소리가⋯⋯."

그렇게 중얼거릴 때 이번에는 좀 더 분명하게, 그것도 가슴을 엘 듯 섬뜩한 소리로 "꺄아아." 하는 비명이 들렸다. 먼 곳에서 굽이굽이 메아리쳐서 들리는 소리였다. 분명히 탑 위일 것이다. 게이코는 오싹해져 침대에서 뛰어내린 뒤 아빠 방으로 급히 달려가 힘껏 문을 두드렸다.

"아빠, 큰일이야! 아빠아."

"⋯⋯무슨 일이야?"

"일어나봐요, 빨리."

무네카타 박사가 잠옷 위로 가운을 걸치면서 먼저 나왔고, 조수 닛타 스스무도 램프를 들고 뛰쳐나왔다.

"뭐야, 왜 그래?"

"방금, 위쪽에서 꺄악 하는 소리가 났어요. 두 번이나요. 뭔가 이상한 일이 일어난 게 분명해요. 가봐요."

"그래? 일단 가보자."

바로 램프를 든 닛타가 제일 앞에 서고, 박사와 게이코 세 사람은 계단으로 달려갔다.

이곳은 지바현의 남부 해안. 속칭 '돌아올 수 없는 모래밭'이라 부르는 암석이 깎아지른 듯 높이 솟아 있고, 파도가 거친 해안에서 190여 미터쯤 떨어진 작은 섬에 있는 폐등대였다. 높이 35미터의 탑과 부속 건물 두 동은 쓰지 않은 지 20년이나 되었다. 거의 폐허나 다름없는 등대를 일주일 전부터 무네카타 박사 일행이 빌려 쓰고 있었다.

무네카타 박사는 바닷물 속의 미생물 연구로 일본에서 손꼽는 권위자로 이번에 이 근해에 발생한 야광충을 연구하려고 조수 세 명과 딸을 데리고 왔다. 오늘 밤이 8일째로 조수인 요시이 사다요시가 불침번 관측으로 남았고, 모두가 잠자리에 든 지 3시간이 지난 새벽 1시가 조금 지났을 때 이 사건이 발생했다.

세 사람은 거의 숨도 쉬지 않고 나선계단을 올랐다. 정상은 원래 등명기가 있던 방을 개조한 야광충 관측소로 관측경과 특수 분광기 같은 기계 몇 종류가 갖춰져 있었다. 나선계단을 올라온 세 사람은 어슴푸레한 램프 불빛 아래에 피투성이가 되어 쓰러져 있는 조수 요시이의 모습을 발견하고 그 자리에 멈춰 섰다.

"앗!"

그러나 닛타 스스무는 곧 달려가서 신음하는 요시이를 안아 일으키고 상처를 살폈다. 요시이는 흰색 윗옷의 가슴팍까지 물들 만큼 피를 흘리고 있었다. 상처는 목 양쪽에 나 있었는데, 기괴한 점은 상처가 세 개씩, 마치 기다란 발톱으로 할퀸 듯한 모양이었다. 출혈이 심했으나 생명에 지장은 없는 듯했다. 닛타는 가운 소매를 잡아 찢어 재빠르게 감으면서 말했다.

"요시이, 어이, 정신 차려."

"……."

"나야. 박사님도 오셨어, 요시이."

닛타가 귓전에 대고 소리치자 요시이가 눈을 번쩍 뜨더니, 오른손을 올려 벽 한쪽을 손가락으로 가리키면서,

"저, 저기, 저 새가……."

겁에 질린 듯 불분명한 발음으로 말하다 말고 다시 풀썩하고 기절해버렸다.

세 사람은 요시이가 손가락으로 가리킨 곳을 보았다. 그 벽 일부에 이제는 깃털이 듬성듬성해진 수상한 새가 박제되어 있었다. 좌우로 펼친 날개는 약 2미터 남짓 되었고, 온몸이 새카만 깃털로 덮인 데다 독수리처럼 날카로운 발톱이 있는 두 발을 벌리고 있었다. 이 새는 박사 일행이 왔을 때도 장식되어 있던 새로 몇십 년이나 된 건지 해묵은 모습이었고, 대체 무슨 새인지 전혀 알 수 없었다. 독수리도 매도 아닌, 굳이 말하자면 아득한 옛날의 사나운 새 같았다.

"아, 아빠!"

게이코가 갑자기 소리쳤다.

"저 새 발톱에 피가……."

"뭐어?!"

닛타가 램프를 비췄다. 보라, 수상한 새의 발톱에 선연한 피가 물들어 있는 게 아닌가. 세 사람은 아연실색해서 숨을 삼켰다.

높이 35미터 폐등대의 맨 꼭대기인 탑 외부는 발 디딜 곳 하나 없는 절벽이었다. 내부에는 나선계단 하나밖에 없고, 범인이 드나들 틈은 어디에도 없었다. 쥐가 숨을 곳도 없는 실내에서 사람이 죽을 뻔했다.

벽에 걸린 수상한 새의 발톱은 조수 요시이의 목에 생긴 상처와 딱 들어맞았다. 게다가 그 발톱은 피범벅이었다……. 무시무시하고 수상한 사건은 어떻게 전개될까?

아니, 이 등대에서 이미 네 명이나 죽었다니!

"안심하세요, 목숨은 건졌어요."

가네모리 박사는 처치를 끝내고 베란다로 나오면서 말했다.

다음 날 아침이었다. 위급하다는 연락에 바로 현지의 가와나무라 마을에서 달려온 가네모리 박사는 날이 밝을 때까지 요시이 곁에 꼬박 붙어서 돌봐주다가 이제는 괜찮다고 판단했는지, 다들 기다리는 곳으로 성큼성큼 나왔다.

"정말 덕분에 살았네요."

"목숨만은 건졌습니다. 그런데…… 아니, 우선 커피 한 잔 마셔도 될까요. 잠시 뒤 여러분에게 드릴 말씀이 있습니다."

게이코는 재빠르게 커피를 따르고, 위스키도 몇 방울을 떨어트려

내주었다. 마을 의사인 가네모리는 담배에 불을 붙이고 자못 맛있게 커피를 홀짝이면서 한동안 바다를 바라보더니 말했다.

"요시이가 왜 다쳤는지, 아마 모르실 텐데. 그렇죠, 무네카타 씨?"

"네, 모릅니다."

무네카타 박사는 당혹감을 숨기지 않고 대답했다.

"어쨌든 외부는 아시는 바와 같이 발 디딜 곳 없는 절벽이고, 내부는 나선계단이 하나뿐인 데다, 어디에도 범인이 숨을 만한 곳은 없지요. 애초에 무슨 이유로 요시이를 죽이려고 했는지, 그것부터 상상이 되지 않습니다."

"분명 그러시리라 생각했습니다."

"네? 그게 무슨 말씀이시죠?"

"무네카타 씨."

가네모리는 담배 연기를 바라보면서 말했다.

"저는 같은 사건을 마주했습니다. 이번이 처음이 아닙니다. 이곳이 폐등대가 된 뒤부터 야산의 곳으로 이사한 이유도 바로 이런 사건 때문이었습니다."

"말씀하시는 바를 잘 모르겠습니다."

"요약하자면, 이런 일이 있었습니다."

가네모리 박사는 피우던 담배를 던지고 돌아앉았다.

"20년 전 무렵의 일입니다. 어느 날 밤 이 등대의 불을 보고 날아든 이름 모를 이상한 새 한 마리가 있었습니다. 그때 이곳을 관리하던 다구치라는 젊은 남자가 있었는데 그 사람이 새를 발견한 뒤, 권총으로 죽이고 박제해서 벽에 걸어뒀지요."

"지금도 있는 저 새군요."

"맞습니다."

가네모리 박사는 한동안 눈을 감고 있다가 이윽고 목소리를 낮추더니 이어 말했다.

"기이한 사건은 그날 밤부터 일어났습니다. 어젯밤처럼 다구치는 등명기가 있는 방에서 목이 갈기갈기 찢겨 죽었습니다. 범인은 어디서도 들어올 수 없었습니다. 상처는…… 요시이와 조금도 다르지 않았습니다. 게다가, 다구치는 죽기 직전 '저 새가.'라고 말한 뒤 저기 박제된 수상한 새를 가리켰지요."

"그때 새 발톱에 피가 묻어 있었나요?"

게이코가 두려워하며 물었다.

"묻어 있었습니다. 그보다는 피범벅이었다고 해야겠지요. 경찰이 와서 2주나 넘게 조사했지만, 결국…… 원인불명의 수상한 사건으로 종결해버렸습니다. 그런데 그 후 한 달쯤 지났을 때였나. 그다음에는 등대장으로 있던 가와무라 어르신이 완전히 똑같은 식으로 돌아가셨습니다."

"그럼, 그분도 사인을 알지 못했단 거네요."

"네, 그 뒤에 두 사람도."

"……."

네 명이나, 네 명이나 수상하게 죽었다고? 듣고 있던 무네카타 박사를 비롯하여 다들 예상대로 낯빛이 변했는데, 닛타 스스무는 가네모리 박사를 보며 불쑥 물었다.

"이야기를 요약하면, 박제된 수상한 새가 움직여서 사람을 죽였다는 건데, 박사님은 그걸 믿으신다는 건가요?"

"저는 보시는 바와 같이 가난한 과학자로 시험관 속에서 증명되는 사실이 아닌 한 아무것도 믿지 않습니다. 물론…… 박제된 새가 둔갑해서 나온다든지 하는 이야기도 믿지 않습니다. 그러나, 여러분에게 한마디 충고하겠습니다. 아무쪼록 이 섬을 빨리 떠나십시오."

이렇게 대답하고 가네모리 박사는 일어섰다.

"저는 이번까지 다섯 번이나 같은 사건을 봤습니다. 제 눈으로 봤지요. 등대도 폐쇄되었습니다. 여러분들도 떠나는 게 안전할 겁니다. 그럼, 이만 가보겠습니다."

"……."

가네모리 박사는 가방을 들고 나갔다.

모두 말없이 그 뒷모습을 바라보고 있는데 닛타는 가네모리 박사가 앉았던 의자 밑에 처음 보는 종이쪽지가 떨어진 걸 우연히 발견하고 허리를 숙여 집었다.

"그거 뭐야?"

"가네모리 박사가 떨어트리고 간 것 같네요."

닛타가 대답하면서 살펴보았더니 그 종이는 헬륨 가스 구매 영수증이었다.

"게이코, 요시이를 간호해주렴."

무네카타 박사는 의자에서 일어나며 말했다.

"나는 일하러 가겠네. 오늘 밤부터 야광충은 활발하게 움직이기 시작할 거야. 다들 열심히 해주길 바라네. 난 이상한 새 이야기 따위는 믿지 않을 테니까, 모두 잘 부탁해."

움직이기 시작한 수상한 새, 두 번째 사건 발생

무네카타 박사의 불타는 연구심에 감명받은 닛타가 굳게 결심한 것이 있었다.

'박제된 새가 재앙을 일으킨다니, 그런 말도 안 되는 일이 일어날 리가 없어. 여기에는 뭔가 숨겨진 비밀이 있을 거야. 나는 그걸 밝히고 말겠어.'

그런 각오를 하고, 연구하는 틈을 타 등대 주위를 열심히 조사하기 시작했다. 하지만 아무것도 발견되지 않았다. 하늘을 나는 날개가 없는 이상, 35미터의 탑 외부를 오르기란 힘들었다. 또 아무리 재빠르더라도 아무에게도 들키지 않고 나선계단을 오르내리기도 불가능했다.

"모르겠네, 이렇게 기이한 일이 있을 리 없어. 이야기만 들어선, 나 자신도 분명 거짓말이라고 생각했겠지. 그런데 실제로 범죄는 일어났잖아. 사람 한 명이 죽을 뻔했잖아. 그 목에 상처는 박제된 수상한 새의 발톱과 딱 맞았고, 그 발톱은 피투성이였는걸. 그러니까, 결국 저 수상한 새가 요시이를 죽이려고 했다는 거 말고는 도무지 설명이 안 돼."

닛타는 그만 포기하고 말았다.

그리고 정확히 일주일 뒤 한밤중에 두 번째 사건이 일어났다. 게다가 이번에는 닛타 스스무가 그 희생양이었다. 그날 밤, 관측 불침번이었던 닛타는 제일 꼭대기 방에 자리를 잡고 열심히 일하고 있었다.

박사의 말대로 야광충의 활동은 점점 왕성해져 해수면은 눈앞에 펼쳐진 파도가 넘실댈 때마다 깜빡이는 형광으로 푸르스름하게 빛났다. 야광충을 관측경으로 들여다보면 농담의 강약이 이리저리 엇갈리고 뒤섞여 마치 무수한 보석 조각을 흩뿌려놓은 것 같았다. 처음 한동안은 벽에 걸린 새가 신경이 쓰여서 이따금 슬쩍 뒤돌아봤지만, 어느새 그것도 잊고 완전히 열중해서 관측에 몰두했다.

새벽 2시쯤이었으리라. 2시가 되기 얼마 전부터 불기 시작한 동풍이 점점 거세지더니 까마득한 35미터 아래의 바위를 때리는 파도 소리가 한밤중 하늘에 섬뜩하게 울리기 시작했다. ……잠시 뒤 아주 느닷없이 "덜컹." 하는 격렬한 소리가 났고, 통로로 나가는 문이 열리더니 '휙.' 하고 불어닥친 바람에 테이블 위의 램프가 꺼졌다.

"어마어마한 바람이네."

닛타가 들여다보던 관측경을 놓고 그렇게 중얼거리며 뒤돌아봤을 때, 감전된 듯 그 자리에서 꼼짝하지 못했다. ……보라, 벽에 걸려 있던 수상한 새가 날개를 활짝 펼치면서 당장에라도 덮칠 듯한 자세로 60센티 정도 눈앞에 우두커니 서 있는 게 아닌가.

"갸아갸아갸아."

새는 기괴하게 울면서 섬뜩하게 날갯짓을 했다.

"앗!!"

닛타는 의자에서 뛰어올랐다. 그러나 그때, 수상한 새가 두 날개로 닛타를 감싸 눌렀고, 닛타는 목에 차갑고 날카로운 것이 꽂히는 걸 느끼며 의자와 같이 뒤로 벌렁 넘어졌다.

그 후 얼마나 시간이 지났을까, 목이 타는 듯한 갈증과 격렬한 두통을 느끼며 번쩍 눈을 뜬 닛타는 바로 눈앞에서 걱정스럽게 쳐다보는 세 사람의 얼굴을 마주했다. 무네카타 박사와 게이코, 조수 기타무라였다. ……전등 불빛은 밝았고, 자신은 침대에 누워 있었다.

'어떻게 된 거지.'

처음에는 꿈을 꾸는 기분이었다. 그러나 곧 그 섬뜩한 사건이 떠올라 아연실색해서 숨을 삼켰다.

박사는 몸을 앞으로 내밀면서 말을 걸었다.

"어때, 정신이 드나?"

"……박사님!"

"이제 괜찮아. 상처도 크지 않고. 야광충이 알려줬다고도 할 수 있겠네. 기타무라와 같이 상태를 보려고 올라갔던 게 다행이었어. 목 아프지."

닛타는 천천히 손을 대보았다. 붕대가 단단히 감겨 있었고, 소독제 냄새가 코를 강하게 자극했으나 심한 두통만 있을 뿐 다른 곳은 괜찮았다.

"아, 누워 있게."

"괜찮습니다."

닛타는 천천히 상체를 일으키고 말했다.

"죄송한데, 물 한 잔 주세요."

"제가 갖고 올게요."

게이코가 뛰다시피 가더니 컵에 물을 찰랑찰랑 담아 가져왔다.

"고마워."

닛타가 단숨에 들이키는 모습을 보면서 무네카타 박사는 기운 빠진 목소리로 말했다.

"요시이의 상처도 많이 좋아진 것 같으니 내일은 여기를 떠나기로 하지. 과학이 터무니없는 이야기 따위에 지고 말았군. 아쉽지만 이 이상 자네들을 위험에 처하게 할 순 없어."

"저는 반대합니다, 박사님."

닛타가 조용히 대꾸했다.

"왜, 반대하는 거야? 수상한 새가 자네를 덮쳐서 거의 죽을 뻔하지 않았는가?!"

닛타는 주먹을 불끈 쥐며 말했다.

"그랬지요. 저는 수상한 새가 움직이는 걸 봤습니다. 섬뜩하게 우는 소리도 들었고요. 공격을 받아 다쳤고요. 지금 생각해도 무서워서 몸이 움츠러드네요. ……그런데, 그런데 제가 못 믿겠어요. 이런 기괴한 일이 일어날 리 없어요. 저는 진실을 밝혀내고 싶습니다. 저 혼자라도 남겠습니다."

흰색 가루를 발견한 닛타의 활약

"말해줘서 고마워, 닛타!"

박사는 닛타의 손을 잡으면서 말했다.

"나도 떠나는 건 생각지도 않았지. 이런 괴담 같은 사건에 굴복해 모처럼 시작한 연구를 중단하는 일은 과학자로서 최대의 수치야. 나도 자네와 같이 여기 남겠네."

"저도 돌아가지 않을래요."

"물론, 저도 남겠습니다!"

게이코도 기타무라도 굳은 다짐을 하며 말했다. 닛타는 미소지으며 대답했다.

"이런 마음이 모이면 더할 나위 없지요. 그럼, 조금 쉴 테니까 아무쪼록 다들 좀 쉬세요. 몸도 괜찮아졌으니까요."

"그럴까? 그러면 우리도 한숨 돌리도록 하지."

박사 일행은 나갔다.

닛타는 다시 침대에 모로 누워 차분한 마음으로 사건을 되짚어보았다. 몇 번을 생각해봤지만, 의문이 꼬리에 꼬리를 물었다.

'분명 그 새가 서 있었어. 그리고 날개를 펼쳐서 달려들었지. 기괴한 울음소리도 귀에 똑똑히 남아 있어. 그런데 20년도 전에 사살되어 박제된 새가 움직일 리가 없잖아. 절대로 일어날 리가 없는 일이야.'

닛타는 살그머니 일어났다.

'그래, 우선 그걸 확인해보자!'

닛타는 램프를 들고 몰래 방을 나왔다. 발소리를 죽이면서 나선계단을 올라 관측실로 들어갔다. 벽에는 수상한 새가 버젓이 걸려 있었다. 양 날개는 장식 못으로 단단히 고정되어 있었고, 벌린 다리도 놋쇠 고리로 견고하게 묶여 있었다.

'설령 이 수상한 새가 재앙을 일으킨다 한들, 이 상태로는 절대 벽에서 내려올 수가 없지. 그렇다면?'

요시이를 덮치고, 자신을 공격한 것은 다른 것일 테다. 벽에 걸린 수상한 새 말고, 그들을 덮친 또 다른 한 마리의 수상한 새…….

'잠깐.'

닛타는 의자에 앉아 생각했다.

'그게 정말 수상한 새였을까? 바람에 문이 열렸어. 램프가 꺼졌고, 어둠 속에서 양 날개를 펼쳤던 그 모습. 틀림없이 벽에 걸린 새라고 생각했는데, 지금 생각해보니…… 그래, 그거야. 녀석은 바닥에 서 있었어.'

닛타는 튀어 오르듯이 일어섰다. 램프를 손에 들고 바닥 위를 자세히 살펴보기 시작했다. 그리고 수상한 새가 서 있었다고 짐작되는 지점에서 자그마한 우산이끼 덩어리가 떨어진 걸 발견했다. 닛타는 우산이끼를 조심스레 주워 종이에 싸고, 좀 더 구석구석 실내를 조사한 다음, 문을 열고 통로로 나갔다. 이미 동쪽 하늘은 밝아지기 시작했다. 이 섬과 50미터 거리에 왼쪽으로· 뾰족 튀어나온 육지에는 한쪽 면에 소나무가 무성하게 자라 있고, 그 나무 사이로 붉게 타오르기 시작하는 동쪽 하늘이 그림처럼 보였다.

"……이런."

닛타는 문득 멈춰서서 발치를 보았다. 통로 마루 위에 우산이끼 조각이 또 떨어져 있는 걸 발견했다. 닛타는 나지막하게 신음했다. 뭔가 머릿속에 번뜩이는 것 같았다. 닛타의 눈동자는 꼼짝 않고 시선 아래에 튀어나온 육지 주변을 바라보며 오른쪽 손가락은 철제 선반을 거칠게 두드리기 시작했다. 그러나 그것도 잠시 이윽고 몸을 휙 돌려서 힘찬 발걸음으로 나선계단을 뛰어 내려갔다.

"수수께끼는 세 개야. 우산이끼, 수상한 새, 그리고– 날개, 하늘을 나는 수상한 새의 날개!"

그렇게 중얼거리면서…….

아침을 먹고 난 뒤, 닛타는 상처를 소독하러 다녀오겠다며 마을로 외출했다. 실제로 닛타는 가네모리 박사에게 가서 상처를 소독했다. 그때, 박사는 그들이 아직 떠나지 않은 사실에 화를 내고, 꾸물거리면 무네카타 박사도, 딸도 수상한 새한테 죽임을 당하고 말 거라며 자기 일인 양 진지하게 충고했다.

가네모리 박사의 병원을 나온 닛타는 어디에서 뭘 했는지 날이 저물 때가 다 되어 섬으로 돌아왔다. 걱정하던 박사 일행이 어떻게된 일인지 이것저것 물었으나 닛타는 그저 이렇게 대답할 뿐이었다.

"이틀 정도만 기다려주세요. 그러면 다 설명해드릴게요. 진짜 이삼일이면 돼요."

그다음 날도 닛타는 마을로 나갔다. 그리고 저녁 무렵에 돌아오더니, 이번에는 섬 안을 마치 사냥개가 사냥감을 쫓듯이 달리면서 돌아보았다. 사용하지 않아 방치된 부속 건물 안에서는 3시간이나 넘게 무언가를 부스럭거리며 조사했다.

닛타가 저녁을 먹으러 왔을 때는 오후 8시가 지나 있었다. 건강을 되찾아 강인한 얼굴에는 미소까지 띠고 있었다.

"왜 그래, 뭔가 발견했어?"

"대충 짐작이 가요."

닛타는 싱긋 웃으며 대답했다.

"박사님, 이게 뭐 같아요?"

닛타는 종이에 감싼 흰색 가루를 내밀었다. 박사는 손에 들고 살펴보더니 손가락 끝을 찍어서 핥아보곤 바로 뱉으면서 말했다.

"코카인 아냐?!"

"그렇죠, 저도 그렇게 생각했어요."

"어떻게 된 거야? 코카인을."

"맞은편 빈집 지하 창고에 있는 걸 발견했어요. 즉…… 이게 수상한 사건의 원인입니다."

새벽 2시, 수상한 새가 나타나길 기다린 세 사람

그로부터 닷새째가 되는 한밤중이었다.

그날 밤부터 매일 밤, 세 사람은 나선계단에 숨어서 수상한 새가 나타나길 기다렸다. 수상한 새는 하늘에서 온다고 닛타가 단언했다. 박사도, 기타무라도 믿지 않았지만, 닛타는 확신에 차서 반복하며 단언했다.

"그런데 생각해봐요."

닛타는 미소지으면서 말했다.

"새가 땅에서 기어오를 리는 없잖아요. 그러기엔 너무 큰걸요."

"그런데, 정말 수상한 새가 올까?"

"올 거예요. 반드시 옵니다. 곧 박사님께서도 그 모습을 보시게 될 거예요."

닛타는 엽총을 쥐고 있었다. 관측실에는 기타무라가 일하고 있었다. 해면에는 변함없이 야광충의 활동이 왕성했고, 꿈처럼 흐릿하게 푸르스름한 빛이 이 장면을 한층 더 기이하게 만들었다.

정확히 새벽 2시가 되었을 때였다. 조용하던 하늘에 세찬 동풍이 불기 시작하자 닛타는 박사와 게이코에게 말했다.

"박사님, 조심하세요. 이 바람이 수상한 새가 올 전조예요. 제가 이 엽총을 쏘면 바로 관측실로 뛰어와 주세요."

"알겠어."

"게이코 씨는 거기서 움직이지 말고요."

닛타는 작은 창문을 열고, 엽총 끝을 공중으로 조준하고 기다렸다. 새벽 2시, 야광충이 빛나는 바다로 둘러싸인 섬. 폐허 같은 오래된 등대의 꼭대기에서 사람을 죽이는 수상한 새가 나타나기를 기다린다. 이 기괴한 정경은 잊기 힘든 풍경이었다. 게이코는 예상대로 마음 여린 소녀라 점점 고조되는 공포를 견디지 못하고 계단에 웅크린 채 몸을 떨고 있었다.

"박사님, 왔어요."

닛타가 말하자마자,

"탕-!"

귀를 울리는 총소리. 또 한 발! 동시에 관측실에서 '덜컹.' 하고 문이 열리는 소리. 그보다 빨리 무네카타 박사는 잽싸게 관측실로 뛰어들었다. 그러자 그곳에는 수상한 새가 2미터 남짓한 날개를 펼치고 섬뜩하게 큰 소리로 울면서 기타무라를 덮치려고 했다. 박사는 엉겁결에 '앗.' 하고 멈춰 섰으나 바로 오른손의 권총을 들어 올려 '탕!' 하고 한 발 쐈다.

"쏘면 안 돼요."

닛타가 외치면서 달려왔다.

그 찰나…… 수상한 새는 몸을 날려서 열린 문을 통해 바깥으로 뛰쳐나갔다.

"멈춰, 빨리 잡아!!"

세 사람이 외치면서 뒤를 쫓았다.

순간 수상한 새는 철제 선반을 타 넘더니 던진 돌멩이처럼 바다 위로 떨어졌다.

'히이-.' 하고 으스스한 소리가 저 멀리 아래로 아득히 멀어지는 것을 세 사람은 멍하니 들었다.

"유감입니다…… 이것으로 모든 게 끝났습니다."

닛타가 탄식하듯이 말했다.

"죄는 나온 곳으로 돌아갔습니다. 가서 시체 수습을 해드리죠. 가네모리 박사의 시체를.”

“뭐? 가네모리 박사?!”

“예, 수상한 새의 정체는 가네모리 박사였습니다.”

“왜 그랬을까? 믿기 힘드네.”

무네카타 박사는 미심쩍은 표정으로 닛타를 바라보았다.

“가네모리 박사는 코카인을 밀수출하고 있었습니다. 이 섬이 저장소였고요. 그래서 우리를 여기에서 내쫓으려고 이런 괴담을 꾸며낸 거였죠. 현장에서 덜미를 잡고, 마음을 고쳐먹게 하려 했는데 역시 박사로서는 살아가기 힘드셨나봐요.”

“그런데, 어떻게 이 높이까지 올 수 있었지?”

“수상한 새는 하늘에서 온다고 말씀드렸죠.”

닛타는 조용히 설명했다.

“박사는 하늘에서 왔습니다.”

“무슨 소리야?”

“요시이를 치료하러 왔을 때, 박사는 뭔가 떨어트리고 갔습니다. 그건 헬륨 가스 구매 영수증이었죠. 뭣 때문에 헬륨 가스가 필요했을까요? 기구입니다. 기구를 사용했던 거죠.”

다들 예상치 못한 진상에 놀라 눈을 크게 떴다.

“수상한 새가 사라진 곳에 우산이끼의 작은 조각이 떨어져 있었습니다. 저는 그걸 단서로 조사를 진행했고요. 그리고 저쪽 곶의 소나무 숲 안에서 똑같은 이끼와 사람 발자국을 발견했죠. 박사는 그곳에서 기구에 가스를 채우고 수상한 새로 변장한 다음, 동풍이 거셀 때를 노려 등대로 날아온 거고요. 제가 좀 전에 엽총으로 쏜 것은 그 기구였습니다. 박사는 그 사실을 알고 그만 자살을 감행한 겁니다.”

"그럼 요시이의 상처는?!"

"박사의 시체를 살펴봅시다. 분명 양손에 새 발톱으로 꾸민 걸 끼우고 있을 테니까요. ……다만 경찰에는 알리지 않도록 조심하지요. 악행은 악행이지만, 박사도 의사로서는 훌륭한 인물이었습니다."

세 사람은 묵도하듯이 고개를 떨구었다. 자신의 죄로 초라하게 죽은 가네모리 박사. 그 시체를 삼킨 바다는 야광충의 푸르스름한 빛을 반짝이면서 애도하듯 '쏴쏴.' 하고 바위를 세차게 때리고 있었다.

제5화 서쪽으로 가는 유혈선

인적 없는 피투성이 배

"선장님, 긴급 무전이 들어왔습니다."

태평양 연해의 구호선, 다이헤마루의 선장실에 무전 기사인 이토 지로가 힘차게 들어왔다.

"이렇게 파도가 잔잔하고 바람도 안 부는데 난파선이라도 있어? 무슨 일이야?"

"유혈선 보고입니다."

"뭐? 또 그거야!!"

태평양의 상어라는 별명이 붙은 선장, 가시하라 다이시의 얼굴이 긴장으로 금세 굳어졌다. 이토는 무전 내용을 보고했다.

"발신은 미국 호화선 P·F호입니다. 간단히 읽어볼게요. ……본 선은 3월 2일 오전 7시 10분, 동위 150도, 북위 20도 3분 부근 해상에서 돛대 세 개를 단 표류선 하나를 발견하고, 바로 선원을 보내 조사했으나 배 안에는 인적이 전혀 없었고, 선실, 갑판, 통로 어디든 선혈 범벅이었다. 아마도 대량 살인 참극이 벌어진 것 같다. 구조해야 할 사람이 없었으므로 본선은 이 배를 그대로 두고 모항으로 돌아가기로 했다.”

“또 유혈선이라니. 또, 제길!”

가시하라 선장은 테이블을 내리치고 일어섰다.

이 기괴한 '유혈선'에 관한 소문은 이미 반년 전부터 나돌고 있었다. 태평양 한복판에서 망령처럼 표류하는 삼범선, 그 안에는 사람 모습이 전혀 보이지 않고, 게다가 배 안 곳곳에 선혈 범벅이라는…… 으시시하고 참혹한 이야기였다.

직무상 필요해서뿐 아니라 모험을 좋아하는 가시하라 선장은 줄곧 이 기괴한 보고에 주의를 기울이고 있었는데, '유혈선'은 계절풍과 해류에 상관없이 특정한 선을 기준으로 계속 서쪽으로 간다는 사실을 알았다. 다이헤마루가 제일 처음 보고를 받았을 때, 유혈선은 캐나다의 북서쪽에서 200해리 떨어진 해상에 있었는데 그로부터 반년 사이 2,000해리 이상이나 서쪽으로 온 것이다.

“이런 어처구니없는 이야기가 있나.”

선장은 정색하더니 눈썹을 올리며 말했다.

“아무도 타고 있지 않은 배가 반년간 방향을 조금도 바꾸지 않고, 2,000해리나 넘게 같은 방향으로 표류하고 있다니, 이런 말도 안 되는 일이 있나! 거기에 선혈이라느니, 흉악한 살인이라느니, 참극이라느니, 마치 100년도 더 전의 해양 소설 같은 소리나 하다니, 요즘 뱃사람들은 다들 머리가 어떻게 된 게 분명해.”

“그게 아니면 선장님이 겁쟁이가 된 거겠죠.”

“뭐, 뭐라고?!”

“죄송해요.”

이토는 싱글싱글 웃으면서 한 발 물러나 말했다.

"이렇게 말하고 싶었죠. 유혈선 소문은 반년도 넘게 들었습니다. 그리고 선장님 별명은 태평양의 상어잖아요. 왜 소문의 진위를 확인하러 가지 않으시냐고요."

"말이 돼야 말이지. 우리한테는 근해를 구호해야 하는 중요한 임무가 있어."

"P · F호의 무전으로 짐작해보면 유혈선 위치는 영해 300해리 안으로 들어올 거예요, 선장님. 거기서 무슨 참극이라도 벌어졌다면 구호하러 가는 건 우리 임무 아닌가요?"

"흐음, 영해에서 300해리면……."

선장은 이토의 눈을 가만히 바라보았다. 젊은 이토는 기운 넘치는 미소를 지어 보였다. 아무래도 '자 가봅시다.' 하고 말하고 싶은 눈치다.

"자네한테 졌네."

선장은 곧 고함치듯이 말했다.

"좋아! 겁쟁이란 말을 들어서야, 내 체면이 있지. 나가자!"

"오예!"

"바로 무전으로 요코하마 본부에 보고해. 영해 부근에 표류선이 있어서 구호하려고 진로를 변경한다고. 유혈선 이야기는 하지 말고."

"알겠습니다, 선장님."

이토 지로는 쾌활하게 대답하고 발길을 돌렸다.

이토는 득의양양했다. 어쨌든 반년 넘게 줄곧 소문으로만 듣던 '유혈선'을 드디어 탐험하게 됐기 때문이다. 실은, 같은 구호선인 우라시마마루의 무전 기사인 친구, 가와모토 준키치와 누가 먼저 유혈선의 진상을 밝혀낼지, 5주 전부터 내기를 건 상태였다. 게다가 우라시마마루는 지금 북부 근해에 출동해 있으니까 P·F호의 무전은 이쪽과 같이 들었을 것이다. 그래서 내기를 건 처지에서도 우라시마마루보다 먼저 유혈선 탐험을 결정할 필요가 있었다.

"됐다, 됐어. 이제 가와모토 녀석을 깜짝 놀라게 해줘야지."

이토는 본부에 무전을 보내면서 회심의 미소를 흘렸다.

다이헤마루는 진로를 서북서로 변경했다. 바다는 놀랄 정도로 바람이 잔잔하고 고요했다. 구호선은 1,200톤의 작은 배이지만 악천후에도 항해가 가능한 설비를 갖추고 있고, 속력도 일반 배보다 1.5배 정도 빠른 게 특징이다. 다이헤마루는 크고 완만하게 넘실대는 파도를 계속 가르면서 미끄러지듯이 나아갔다.

그날 해 질 무렵 으스스하게 짙은 안개가 덮였다. 그리고 모험의 첫 항해가 시작되었다.

바다 도깨비를 조심하라

무전실에서 근처 해상에 배가 없는 걸 확인한 이토는 뒷일을 조수에게 명령하고 갑판으로 나갔다. 해 질 무렵이었다. 배 주위는 짙은 안개가 벽처럼 사방을 둘러싸고 있었다. 챙모자와 외투는 금세 짙은 안개에 젖었고, 빗속에라도 있는 것처럼 물방울이 똑똑 떨어졌다. 그런데, 갑자기 망루에서 외치는 소리가 들렸다.

"배가 있어, 멈춰."

"배다, 배야, 후진."

"후진."

아우성이 아우성으로 이어졌고, 다이헤마루는 바로 속력을 줄이고, 추진기를 역회전시키며 뱃머리를 오른쪽으로 조금 돌렸다. 그 순간 안개 속에서 배 한 척이 두둥실 모습을 드러냈다.

"선장님, 삼범선이에요."

이토는 선장에게 다가가 말했다.

"응, 그런데 아직 나타날 위치가 아닌데."

"게다가 현등*도 안 켜고 있어요."

"좀 기다려봐."

다이헤마루는 호루라기를 불면서 반대편으로 다가갔다. 그리고 두 배가 거의 맞닿을 만큼 가까워졌을 때, 반대편 배 위에 손전등 불빛이 보이고, 선원 너덧이 뱃전 옆의 출입구로 달려왔다. 다이헤마루의 탐조등 빛을 정면으로 받은 선원들은 모두 머리카락이 붉은 외국인이었다.

"왜, 무적**을 울리지 않았습니까?"

선장이 영어로 소리쳤다.

"저희는 알래스카의 어부입니다."

외국인이 대답했다.

"5시간 정도 전에 거대한 바다 도깨비를 만났습니다. 그래서 다들 배 안에 숨어 있었어요. 아무것도 몰랐습니다."

"다른 수상한 배는 못 봤습니까?"

외국인은 무언가 잠시 소곤소곤 속삭이더니 이번에는 다른 사람

---

*舷燈: 야간에 항해하는 배가 다른 배에게 그 진로를 알리기 위해 양쪽 뱃전에 다는 등
**霧笛: 안개가 끼었을 때 선박이 충돌하는 것을 막기 위해 등대나 배에서 올리는 고동

이 대답했다.

"어제 아침에 이상한 배를 만났습니다. 돛대가 세 개에 2,000톤쯤 되는 배였습니다. 배 안에는 아무도 없는 것 같았고…… 모든 곳이 피범벅이었습니다."

"그 배는 정박했습니까?"

"서쪽으로 표류하고 있었습니다. 그것보다 이 부근에 거대한 바다 도깨비가 나오니까 조심하십시오. 놈은 배를 덮치러 옵니다."

선장은 비웃듯이 어깨를 으쓱하고 돌아보며 출발하라고 명령했다. 이토 지로는 안개 저편으로 사라져가는 어선을 보내면서 묘하게 등줄기가 오싹해짐을 느꼈다. 조금이라도 바다 생활을 한 사람이라면 바다 도깨비 이야기를 들어보지 못한 사람은 없으리라. 특히 안개나 연무가 많은 바다에서는 종종 볼 수 있는 현상이다. 바다 도깨비는 물체의 그림자가 안개에 비치는 것으로 결코 초자연적인 현상은 아니다. 그런데 방금, 이토는 알래스카 어부의 이야기를 듣고 몹시 생생한 인상을 받았다.

"놈은 배를 덮치러 옵니다."라는 말이 특히 인상 깊게 들렸다.

'불길한데, 어쩐지 묘한 기분이야. 흔히 보는 바다 도깨비랑은 다른 게 아닐까…….'

그렇게 생각하면서 무전실로 돌아가보니 때마침 조수가 어딘가에서 온 무전을 받는 중이었다. 조수는 이토의 얼굴을 보자마자 수신기를 건넸다.

"우라시마마루의 가와모토 씨입니다."

"어이 이토."

상대는 바로 가와모토 준키치였다.

"5주 전의 내기를 잊진 않았겠지."

"그건 왜."

"놀라지 마. 우라시마마루는 어제부터 유혈선을 찾고 있었는데 1시간쯤 전에 드디어 발견했거든."

이토는 엉겁결에 '아차.' 하고 탄식했다.

"야, 그거 정말이야?"

"지금 선창으로 보고 있는데, 방금 선원들이 한꺼번에 들이닥쳤지. 유감스럽지만 내기는 내가 이긴 것 같네, 하하하하."

해상에는 벌써 해가 저물고 있었다. 이렇게 불길한 밤에 위험을 무릅쓰고 유혈선 탐험을 시작했단 건가. 이토는 선수를 뺏겨 분하기보다 선원들이 걱정되었다.

"내기에 진 건 인정할게. 그것보다 가와모토, 이런 밤에 모험은 위험해. 날이 밝으면 하기로 하고 빨리 다들 철수시켜."

"뭐야, 너는 멀리 있으면서 겁먹은 거야, 괜찮아. 상대는……."

거기까지 말한 순간, 갑자기 가와모토의 목소리가 들리지 않았다.

"어이, 가와모토, 왜 그래."

"가와모토, 가와모토……."

돌연 수신기 너머에서 "와장창!" 하고 유리그릇이라도 깨지는 듯한 소리가 났다. 동시에 가와모토의 목소리가 들렸다.

"바, 바다 도깨비가 왔어. 아, 아앗, 피투성이 손이…… 살려줘."

"왜 그래? 가와모토."

"죽을 것 같아, 바다 도깨비야. 살려줘어."

나무판자가 득득 뜯기는 소리와 가와모토 준키치의 "아아악." 하는 단말마의 비명이 동시에 들렸다. 그리고 모든 것이 쥐 죽은 듯이 조용해졌다.

이토 지로는 물을 뒤집어쓴 것처럼 오싹해져서 그 자리에서 꼼짝

하지 못했다. 알래스카 어부가 했던 말 - "놈은 배를 덮치러 옵니다."……불길한 말이 귓가에 생생히 되살아났다.

"큰일났다!"

이토는 달아나는 토끼처럼 무전실을 뛰쳐나갔다.

눈앞에 보이는 기괴한 배

가시하라 선장의 안색도 변했다.

가와모토가 한 말로 추측해보면 바다 도깨비가 우라시마마루를 덮쳐서 가와모토를 참살했다고밖에 생각할 수 없다. 가와모토는 분명히 바다 도깨비라고 했다. "피투성이 손이다."라고까지 말했다.

"전속력을 내. 안개 따위 신경 쓰지 말고."

선장은 단호하게 외쳤다.

이토 지로는 바로 돌아와서 무전으로 우라시마마루를 계속 호출했다. 그러나 끝내 대답은 없었다. 먼저 배 위치만이라도 물어봐 두었으면 좋았을 텐데 이제는 어쩔 방법이 없다. 그저 가능한 한 빨리 현장으로 가서 위기에 놓인 친구를 구해야 한다.

하늘의 도움이라고 해야 할지, 바다가 거칠어지는 계절인데도 바람이 불지 않았고, 해상에는 완만한 물결만 있을 뿐이었다. 게다가 한밤이 되기 전에는 안개도 완전히 걷혀서 다이헤마루는 호수 위를 가듯 매우 빠른 속도로 전진할 수 있었다. 짓눌리듯 답답했던 밤이 저물고 날이 밝았다. 사방은 수평선 끝까지 시선이 뻥 뚫렸다.

"이제 곧 나타날 위치인가."

선장은 해가 뜨기 전부터 선교에 서서 망원경으로 줄곧 감시하고 있었다.

"무전은?"

"아무리 불러도 응답이 없습니다."

"늦지 않아야 할 텐데."

선장의 목소리는 신음하는 것 같았다.

오전 10시, 다이헤마루는 진로를 남쪽으로 바꾸고 바람을 거슬러 항해하기 시작했다. P·F호가 알려준 위치를 지나왔지만 유혈선을 만나지 못했기 때문이다. 게다가 우라시마마루의 모습이 보이지 않는 점도 의아했다.

"이렇게 맑으면 둘 중에 한 척은 발견할 수 있을 것 같은데."

그렇게 말하는 사이에도 시간은 재깍재깍 흘러서 오후 3시가 되었다. 조금만 더 있으면 안개가 드리워질 시간이 된다. 그러면 일이 점점 더 곤란해질 게 뻔하다. 어떻게든 안개가 드리워지기 전에 전속력으로 계속 바람을 거슬러…… 그런데, 얼마 지나지 않아 서쪽 해상에서 오도카니 있는 배 한 척의 그림자를 발견했다. 이토는 쌍안경에서 눈을 떼지 않고 말했다.

"선장님, 돛대가 세 개예요."

"흐음."

"이번에야말로 유혈선이겠지."

드디어 발견했다. 가까이 다가갈수록 잿빛으로 칠한 선체, 돛대 세 개, 중간부터 꺾인 굴뚝 같은 것이 점점 똑똑히 보였다. 바로 소문의 유혈선이다, 기괴한 배다. 약 1시간쯤 지나 다이헤마루는 100미터까지 다가가서 멈췄다.

"전원 갑판으로 총집합."

선장의 명령 한 마디에 자리를 비우기 힘든 선원을 제외하고 다

부진 선원 20명이 갑판 위로 모였다. 그때, 예상보다 빨리 북쪽에서 짙은 안개가 거세게 드리워지는 모습이 보였다.

"우리 배는 어젯밤, 우라시마마루의 무전을 받았다. 무전으로 추측컨대 우리 친구의 배는 이 부근에서 기괴한 사건으로 조난한 것 같다. 그 원인은 맞은편에 보이는 배다. 다들 소문은 들었겠지. 저 배가 바로 유혈선이다."

"아, 유혈선."

"유혈선!"

선원들 사이에 와글와글하는 수런거림이 오갔다.

"나는 이제부터 저 배에 올라타서 기괴한 진상을 조사하겠다. 우리 해상에서 흉흉한 소문을 없애고, 친구 배인 우라시마마루의 안부도 같이 확인하겠다. 그러나 이 일에는 다소 위험이 따를 가능성이 크다. 지명은 하지 않겠으나 나와 함께 가고 싶은 자는 앞으로 나와주길 바란다."

"선장님!"

"선장님!"

"선장님!!"

선장의 말이 떨어지기 무섭게 전원이 앞으로 나왔다. 선장은 고개를 끄덕이며 말했다.

"고맙다. 하지만 5명은 배에 남아줘야 한다. 그 이유는 이 배에도 위험이 따를 수 있기 때문이다. 오히려 우리 배에서 무시무시하고 수상한 일이 일어날 것 같다."

'바다 도깨비를 말하는 거구나.'

이토는 그렇게 생각하며 선장 뒤쪽으로 돌아갔다.

갈 사람을 정하고 보트를 내렸을 때 짙은 안개가 해상을 빈틈없이 뒤덮었다. 이토는 안개가 꼈다고 말하면 선장이 조사를 허락하지 않을 걸 알았기에 뒤덮인 안개를 다행으로 여기며 무전실을 조수에게 맡겨두고 재빠르게 보트 안으로 숨어들었다.

짙은 안개는 소용돌이치며 퍼졌다. 우유 속에라도 빠진 것처럼 시야가 완전히 뿌옇게 흐려졌다. 유혈선의 형체도 어렴풋해져서 환상처럼 흐릿하고, 그림자처럼 흔들리고 있었다……

망망대해 위에 뜬 기괴한 배, 반년 동안 해상의 수수께끼였던 참극의 배, 그 배가 지금 눈앞에 있었다.

"앗! 어마어마한 기름이다!"

뱃전에 있던 한 사람이 소리쳤다.

"선장님, 이 일대에 중유가 떠 있습니다."

"중유라니?"

선장이 몸을 앞으로 내밀었다. 아니나 다를까 눈에 보이는 해수면의 사방은 중유로 덮여 있었다. 이토 지로도 구석에서 그 모습을 보았다.

"우라시마마루다, 우라시마마루는 여기서 침몰한 거야."

이토는 금세 창백해지며 그렇게 중얼거리고 지그시 눈을 감았다.

앗, 모두 죽었다!

서로 위치를 잃어버리지 않도록 다이헤마루는 끊임없이 무적을 울렸다. 보우, 보우…… 낮게 울리는 무적 소리는 짙은 안개 저편에서 호소하듯 흐느끼는 것처럼 구슬프게 울려 퍼졌다. 때가 때인 만큼 그 음색은 마치 지옥에서 부르는 소리라도 되는 양 느껴졌다.

보트는 유혈선 주위를 한 바퀴 돌았다. 그리고 뱃전 오른편에 반쯤 부서진 사다리를 발견하고 보트를 연결했다.

"선임, 자네는 보트에 남아. 뭔가 이상한 일이 생기면 권총으로 신호해."

"네."

"방심하지 말고."

한 사람을 보트에 남기고, 선장은 제일 먼저 사다리를 올랐다. 갑판에 한 걸음 내디딘 순간, 사람들은 예상외의 숨이 막힐 것 같은 광경을 보았다. 갑판은 보이는 모든 곳이 미끈미끈한 선혈 범벅이었다. 사체가 질질 끌렸을 것으로 짐작되는 곳과 연못처럼 피가 고인 곳도 보였다. 그리고…… 토할 것 같은 피비린내가 코를 확 찔렀다.

"너무 잔인해!"

누군가가 얼떨결에 소리쳤다. 그러나 다른 사람은 입술이 새파래져 돌처럼 딱딱하게 굳어 선 채로 꼼짝하지 못하고 있었다. 선장은 목소리를 높여서 명령했다.

"다들 권총 꺼내, 안전장치를 빼고. 내가 쏘라고 하면 주저 없이 쏴버려. 이제부터 선내를 조사하겠다."

모두 들은 대로 제각기 권총을 꺼내 들고, 당장 쏠 수 있게 오른손에 꽉 쥐었다. 선장은 피 웅덩이를 계속 피해가면서 한 손에는 손전등, 다른 손에는 권총을 쥐고 선내로 내려갔다. 예상했던 대로 피다. 통로도, 벽도, 천장까지 선혈의 흔적으로 가득 차 있었다. 아무리 기상천외한 공상이라도 이 정도로 피를 흘릴 만한 참극은 생각하기 어려웠다. ……제아무리 바다의 강자라 해도 이 처절한 광경에는 눈을 돌릴 수밖에 없었다.

유혈선, 유혈선. 정말 이것이야말로 '유혈의 배'라고 부를 수밖에.

선장은 앞장서서 중간 갑판에서 아래 갑판, 배의 밑바닥까지 샅샅이 돌아보며 살펴보았다. 어디에도 사람의 모습은 없고, 사체 그림자도 없었다. 가는 곳마다 부서진 선박 도구와 목재 파편만이 흩어져 있을 뿐이었다. 화물로 보이는 물건조차 없었다. 완전한 무인선, 그저 생생하게 흘러나오는 피만이 가공할 만한 사건의 흔적을 말해주고 있었다.

배의 밑바닥에서 중간 갑판까지 돌아왔을 때였다.

"선장님, 총소리입니다!"

이토가 뛰쳐나왔다.

"아니, 이토, 자네도 같이 왔나?"

"그것보다 저기."

"탕! 탕!!"

좌현 바깥 쪽에서 거센 권총 소리가 들렸다.

"보트에서 쏘고 있습니다."

"이리 와!"

무슨 일인지 생각하기도 전에 선장은 재빨리 제일 위쪽 갑판으로 뛰어 올라갔다. 다시 사다리를 내려가자 보트 안에 남아 있던 한 사람이 말했다.

"선장님, 빨리 오십쇼."

"왜 그래, 무슨 일이야?!"

"지금 우리 배에서 총소리와 비명이 들렸습니다."

선장은 그 말을 듣고 가슴이 철렁해져서 배를 보았다. 언제부터인지 무적 소리가 들리지 않았다.

"선장님, 바로 돌아가요!"

이토 지로가 소리쳤다. 선장을 비롯해 일동은 쫓기듯이 보트에 뛰어들었다. 우라시마마루의 운명이 뚜렷하게 이토의 머리에 떠올랐다. 무슨 일이 일어났던 거다, 가와모토가 무전을 보냈을 때처럼, 자신들이 유혈선으로 가고 난 뒤에 뭔가 수상한 일이 일어났던 거다. 수상한 일…… 그래, 바다 도깨비의.

"아아악-."

안개 저편에서 다시 섬뜩한 비명이 들려왔다.

"빨리, 빨리 저어. 좀 더 빨리."

선장은 몸을 앞으로 내밀면서 계속 부르짖었다.

보트가 다이헤마루의 뱃전에 도착하자마자 이토 지로는 선장보다 먼저 뛰어 올라갔다. 보라, 그곳에는 남아 있던 선원들의 시체가 널브러져 있었다. 모든 곳이 선혈이었다.

"앗, 당했다."

사람들은 무서워 소리 지르면서 자신도 모르게 뒤로 움찔움찔 물러났다.

"다들 주위를 경계해. 수상한 놈이 보이면 냅다 쏴."

선장은 고함치면서 시체 옆에 쭈그려 앉았다.

이토록 무참한 살인 방법이라니, 다들 머리뼈가 일격을 당해 부서져 있었다. 떨리는 손으로 한 사람씩 확인하는데 한 사람만이 희미하게 숨이 붙어 있었다. 선장이 급히 안아 일으키자 그는 공포에 가득 찬 눈으로 바다를 보면서,

"바다…… 바다에서…… 왔어. 그놈이…….."

굳어가는 혀로 겨우 거기까지 말하더니 그대로 털썩하고 숨이 끊어지고 말았다.

이토 지로는 그사이 무전실로 달려갔는데 가엾게 그곳에도 조수가…… 가와모토 준키치도 분명 그랬으리라 짐작되듯 무전기 앞으

로 넘어진 채 머리가 깨져서 숨을 거둔 상태였다.

"바다 도깨비야, 바다 도깨비."

이토 지로는 귀신에 홀린 것처럼 두려워 떨면서 밖으로 뛰쳐나왔다.

괴상하고도 기이해서 수상한 유혈선과 배를 덮치는 살인 괴마, 그리고 보이는 곳마다 파도, 또 파도 위로 넘실대는 해상에서 벌어진 이 망령 같은 사건의 수수께끼는 대체 어떻게 풀어야 할까? 이토 지로는 멍하니 돌아왔다. 그때,

"봐! 바다 도깨비가 있다!!" 하고 외치는 소리가 들렸다. 깜짝 놀라 돌아본 순간, 뱃전 왼편에서 거의 10미터 높이의 파도 사이로 약 3미터쯤 됨직한 거대한 잿빛 괴물이 떠올랐다.

"바다 도깨비!"

"탕탕탕!!"

이토는 보자마자 권총을 고쳐 쥐고 연속 세 발을 저격했다. 동시에 거대한 괴물은 총알을 맞았는지, 피했는지 푹 하고 파도 사이로 가라앉았다.

수상한 외국인 16명이 나타났다

"해치웠네."

"바다 도깨비를 쏴 죽였어."

선원들은 환성을 지르면서 뱃전으로 세차게 달려가 바다 위를 바라보았다. 그때, 별안간 짙은 안개가 걷히고 석양을 받은 유혈선의 모습이 또렷하게 보였다.

'좀 전의 총알은 맞지 않았어. 그러나 다음번에 떠오른다면.' 하

고 이토 지로는 바다 위를 가만히 지켜보다가 문득 유혈선으로 시선을 옮겼다. 그 순간, 의아하다는 듯 목소리를 높였다.

"아니?!"

이토 지로의 눈빛이 갑자기 바뀌었다. 무언가를 발견한 것이었다. 무언가를! 보라, 이토의 눈썹이 움찔움찔하며 경련했다. 그리고 굳게 다문 입술에 생기가 넘치는 미소가 번졌다.

"그래, 그건가, 알아냈어. 젠장!"

이토는 선장에게 급히 달려가서 말했다.

"선장님, 한 번 더 유혈선으로 돌아가주세요."

"왜? 뭐 하려고?!"

"바로 유혈선으로 뛰어들게요. 수수께끼를 풀었습니다. 가증스러운 살인귀, 바다 도깨비의 가면을 벗겨내고, 유혈선의 트릭을 밝혀드리겠습니다. 서둘러 주세요."

"정말이야, 괜찮겠어?!"

"가스탄을 준비해서, 빨리, 바로요."

선장은 이토의 수완을 믿었다. 곧 가스탄을 싣고, 결사를 다짐한 동료 10명과 함께 보트는 파도를 가르며 유혈선으로 향했다.

이토 지로는 처음 올랐던 사다리로 원숭이처럼 갑판으로 올라가더니 앞장서서 배의 밑바닥까지 척척 내려갔다. 그곳은 도료가 썩는 냄새로 숨이 막힐 것 같았다. 그러나 이토 지로는 손전등을 비추면서 흩어져 있는 선박 도구와 널조각을 헤치며 냅다 차고, 티끌도 놓치지 않겠다며 배의 밑바닥 철판을 헤집듯 살펴보았다.

"어떡할 건가?"

선장은 마뜩잖게 물었다.

"여기는 배의 밑바닥이잖아. 이 철판의 한 겹 더 아래는 바다고."

"과연 그럴까요……."

이토가 침착한 목소리로 대답하더니, 갑자기 "됐어!" 하고 소리치며 돌아보았다.

"가스탄 준비! 내가 지금 여기를 열 테니까 신경 쓰지 말고 가스탄을 안으로 힘껏 때려 넣어."

"쥐라도 몰아내려는 거야?"

"그래, 커다란 쥐가 나올 거야. 자."

이토 지로가 외치면서 '끼익.' 하고 철판 일부를 들어 올렸다. 순간! 기다리고 있던 동료들이 제각기 가스탄을 들고 그 구멍 안으로 때려 넣었다.

"방, 바앙, 바아앙!!"

가스탄이 터지는 소리가 크게 들렸다.

"모두 사격 준비!"

이토가 몸을 피하며 외쳤다.

"지금 나올 거야."

이토의 말이 끝나기 무섭게 배의 밑바닥에서 영어로 크게 외치는 소리가 들렸다.

"살려주세요! 저항하지 않겠습니다!!"

"목숨만은 살려주십시오!!"

어안이 벙벙해져서 한동안 할 말을 잃었던 선장은 얼른 구멍 입구로 다가가서 고함치기 시작했다.

"나와! 무기를 버리고 나와! 조금이라도 반항하면 사살하겠다! 빨리 움직여!"

그 목소리에 반응하듯 외국인 16명이 고통스럽게 기침하면서 줄지어 나타났다.

수수께끼는 풀렸다.

그들은 XXX 국의 밀령을 받고, 일본에 있는 간첩과 밀접한 연락을 하려고 알래스카의 어느 땅에서 일본의 모 해안까지 해저전선을 부설하고 있었다. 유혈선은 다른 배가 접근하지 못하도록 배의 밑바닥 아래에 또 다른 부설선 한 척을 설치하여 기괴함을 가장한 배였다. 또 바다 도깨비란 특수한 부설용 잠수복(가벼운 금속으로 만들어졌다)으로 자동으로 산소를 공급해주는 호스가 있고, 양쪽이 날카로운 강철 갈고리로 되어 있었다. 수많은 살인을 저지른 것은 이 강철 갈고리였다. 그리고 우라시마마루는 유혈선의 비밀을 알아낸 탓에 전원이 학살된 다음, 침몰한 것이었다.

"굉장한 공로야."

선장은 귀항길에 오르면서 이토의 손을 세게 꽉 쥐며 말했다.

"그런데 그건 그렇고. 어떻게 저 배의 밑바닥에 숨어 있던 걸 알아냈나?"

"우연이었어요. 진짜 우연이었어요."

이토는 회심의 미소를 띠며 대답했다.

"바다 도깨비를 봤을 때, 잠깐 안개가 걷히고 유혈선이 선명하게 보였잖아요? 선장님, 그때 저는 유혈선의 흘수*가 이상하게 깊은 점을 눈치챘어요. 화물도 없고 사람도 없는데 흘수는 마치 화물을 가득 실은 배 만큼 깊게 되어 있었어요. 그 점을 발견한 게 단서였죠. 배 안에 아무것도 없는데 배가 저렇게 깊이 들어가 있다면

---

*吃水: 배가 물에 떠 있을 때, 수면에서 선체 밑바닥까지의 최대 수직거리

배의 밑바닥 아래에 중량이 걸려있는 게 틀림없다고……."

"훌륭해. 역시 무전 기사여서 관찰력이 좋군. 자타가 공인하는 나도 거기까지는 알아차리지 못했어. 이번에는 자네에게 모든 공을 돌리겠네."

선장은 믿음직스럽다는 듯 이토를 바라보았다.

"다만 안타까운 일은…… 우라시마마루를 위기에서 제때 구하지 못했다는 거예요. 친한 친구 가와모토를 잃었습니다……."

이토 지로의 눈에 문득 눈물이 차올랐다. 귀항길 바다도 놀랄 만큼 바람이 잔잔하고 평화로웠다.

옮긴이의 말

 야마모토 슈고로 작가의 단편소설을 소개해보고 싶어
앞서, 소년 탐정 '하루타'의 활약상을 다루는 이야기 네
편을 묶어 《목걸이 사건의 수수께끼》란 제목으로 책을
출간하였다.
 이번에 소개하고자 엮은 단편소설 다섯 편은 각기 다
른 인물이 마주한 사건을 지혜롭게 해결해나가는 이야
기이다.
 '망령 호텔'을 제외한 4편은 일본의 하쿠분칸(博文館)
출판사에서 1920년부터 24년간 발행했던 청소년 잡지
'담해(譚海)'에 실렸던 소설이기에 짧은 분량에도 박진
감이 넘친다. 잡지 '담해'는 1940년부터 '과학과 국방
담해'라는 이름으로 바뀌었는데, 그래서인지 '군사 기
밀'을 소재로 한 소설도 실었던 것 같다.

 이 책에 소개한 단편소설들도 지금으로부터 약 100여
년 전에 쓴 소설이라 믿기 어려울 정도로 생동감이 넘
치고 시대의 위화감이 그다지 느껴지지 않았다. 독자 여

러분도 그렇게 느낄 수 있도록 원문의 표현을 최대한 살리되 가독성을 해치지 않도록 노력했다.

이렇게 또 책 한 권으로 엮어내기까지는 감수를 맡은 성시야 번역가님의 도움이 컸다. 자신이 번역할 때처럼 어떤 표현이 좋을지 같이 고민했고, 내가 놓쳤던 부분을 꼼꼼히 확인해주었다. 덕분에 서로 많은 공부가 되었고 책의 완성도가 올라갔다. 이 지면을 빌려 한 번 더 감사 인사를 드린다.

야마모토 슈로고 작가의 작품을 독자들에게 두 번째로 소개할 수 있게 되어 기쁘다. 앞으로도 작가의 재미있는 소설을 더 소개하고 싶다. 재미있게 읽어 주고, 앞으로 소개할 소설도 즐거운 마음으로 기다려주었으면 좋겠다.

2024년 여름, 가을을 기다리며